그래서 비건

지구와 나를 위한 선택

그래서 비건

지구와 나를 위한 선택

엠마 하칸슨 지음
변용란 옮김

독개비

일러두기

* 본문의 주석은 모두 '옮긴이 주'입니다.

머리말

이 책을 집어 들었다면, 당신은 이 세상엔 좋은 것들이 참 많지만 우리가 행동을 취하지 않는다면 그 모든 것을 잃어버릴 위험에 처해 있다는 사실을 알고 있는 사람일 가능성이 높다. 유엔의 기후변화에 관한 정부 간 협의체 Intergovernmental Panel on Climate Change, IPCC의 최신 보고서가 명백하게 시사하듯이, 기후위기는 전적으로 인간의 활동이 원인이다. 같은 맥락에서 구원받기를 기다릴 시간은 없으며, 우리 자신부터 행동을 시작해야 한다. 또한 행동을 하려거든 빨리 움직여야 한다. 기후위기는 그 누구도 기다려주지 않기 때문이다.

환경 파괴로 곳곳이 병들어 있는 지구에는 인종 불평등, 젠더 갈등에서 비롯된 폭력, 동물에게 가하는 일상화된 잔혹성 같은 문제까지 엮여 있어 너무도 복잡한 문제를 단 하나의 해결책으로 해소할 수는 없지만, 비건 채식은 분명 우리 인류를 구원하는 데 도움이 될 수 있다.

비건 채식에 대한 가장 오래된 정의는 1944년경 영국비건협회인 비건 소사이어티The Vegan Society에서 공식 문서화했으며, 이곳에선 오늘날 비건 채식을 다음과 같이 정의한다.

> 실천이 가능한 한 모든 식품과 의복, 기타 목적으로 동물에게 가하는 온갖 형태의 착취와 잔인한 처우를 배척하고, 더 나아가 인간과 동물과 환경의 이익을 위하여 동물 이외의 대안을 개발하고 사용하고자 촉구하는 철학 및 생활 방식이다. 식생활과 관련한 용어로는 동물에서 추출한 재료를 부분적으로나 전적으로 사용한 모든 제품을 거부하는 실천을 의미한다.

오늘날 비건 채식으로 환경에서 얻을 수 있는 혜택이 특히 중요한 이유는, 우리가 계속해서 살아가는 데 꼭 필요한 천연 '자원'이 놀랍도록 풍부하고 아름다운 모습으로 가득 차 있는 하나의 지구를 우리가 모두 공유하기 때문이다. 안정된 기후나 생명다양성, 깨끗한 물이 없다면 인간이 착취할 동물도, 돌보아야 할 동물도 아예 존재하지 못할 것이다.

많은 사람이 질문을 던진다. 비건 채식이 그토록 대단하다면, 오늘날 인류가 직면한 가장 중요한 문제들을 일부 해결할 수도 있는 그토록 강력하고도 실천가능한 방법이 바로 채식이라면, 어째서 비건 채식에 대해서 더 많은 이야기가 오가지 않을까? 지구를 위해서, 그리고 지구상의 모든 생명체를 위해서는 이런 현실을 어떻게 바꾸어야 할까? 지금부터 그 방법을 알아보자.

빙하는 놀라운 속도로 녹아내리고 있다. 돌발적인 홍수, 산불, 기타 자연재해는 무서울 정도로 일상이 되었다. 보석처럼 다채로웠던 산호초는 백화 현상으로 새하얀 유골처럼 변해가는 중이다. 토종 곤충, 어류, 조류, 포유류는 그 어느 때보다 빠르게 감소하고 있다. 때로는 이 지구에 산다는 것이 상당히 두렵고 절망적으로 느껴지기도 한다.

이러한 막대한 문제점에는 직접적인 원인이 있으며, 해결책도 함께 존재한다. 유축농업[1]Animal Agriculture이 본질적

1. 작물 재배와 가축 사육을 병행하는 혼합 농업 형태로 가축의 노동력을 경작에 이용하고 그 배설물을 거름으로 쓰며, 농작물의 부산물이나 폐기물을 가축 사료로 이용하여 비용을 절감한다.

으로 지속불가능하다는 인식은 해마다, 아니 다달이 점점 널리 확산되어 피해갈 수 없는 주제가 된 듯하다.

수많은 목소리가 이와 똑같은 메시지를 전한다. 기후환경 운동단체인 '멸종 저항Extinction Rebellion'의 한 갈래인 '동물 저항Animal Rebellion' 운동은 유축농업의 영향과 그 문제에 대한 해결을 거부하는 정부에 특히 초점을 맞춰 기후위기와 환경위기에 맞서 싸움을 벌이고 있다.

미국 부통령 카멀라 해리스는 우리의 식생활이 환경에 미치는 영향에 대해 국민을 교육하는 데 관심을 표명했으며, 이 문제에는 고기가 중요한 부분을 차지한다.

그린피스 같은 환경 단체들도 동물에 의존하는 농업의 변화와 함께, 채식을 근간으로 하는 먹거리 체계를 촉구하고 있다. 유엔은 동물의 고기를 '세계에서 가장 긴박한 문제'로 칭했으며, IPCC(기후변화에 관한 정부 간 협의체)는 채식으로 전환하는 것이 '기후변화를 완화하고 그에 적응할 중대한 기회'라고 선언했다.

동물과 인간의 관계, 그리고 그 관계가 지구에 어떤 의미인지는 대단히 심각하게 받아들여야 할 문제임이 명확하다. 그러나 우리 스스로가 이 문제를 심각하게 받아들이고, 어느 것 하나라도 각자 생활 방식에 도입하려면 모든 사실을 속속들이 알아야 한다. 그렇다면 유축농업이 지구의 생존에 그토록 해로운 이유는 무엇일까?

목차

PART 1

지구 구하기

• 1장

기후위기

생명다양성 위기

극단적으로 말하고 싶지는 않지만, 생명다양성을 갖춘 지구가 없다면 모든 것은 파멸이다. 광범위하고 독특한 각종 식물과 동물 없이는 생태계는 붕괴하고 말 것이다. 그런데 바로 지금 우리는 생명다양성의 위기를 겪고 있다. 우리는 심각한 결핍을 겪는 중이다. 유엔 보고서에 따르면 현재 약 백만 종의 동식물이 멸종 위협을 받고 있다.

우리는 많은 과학자가 인류세[2] 人類世, Anthropocene Epoch라고 부르는 시대를 살고 있는데, 이는 하나의 종인 호모사

…· 2. 인류가 지구 환경에 막대한 영향을 미친 시점부터 별개의 '세'로 분리한 비공식적인 지질 시대.

피엔스가 지구상의 다른 모든 종의 생명을 위협하는 종으로 진화한 시기를 일컫는다. 과거에도 대멸종의 시기는 있었다. 사실 우리가 알고 있기로는 이번이 여섯 번째 대멸종이다. 공룡이 멸종된 시기에 대해서는 우리 모두 잘 알고 있지만, 그때가 가장 방대한 멸종의 시기는 아니었으며 단지 페름기 말에 벌어진 주요 대멸종 중 하나일 뿐이다. 그런데 지금 우리 사회가 지구와 지구상에 살고 있는 모든 동식물에게 벌이는 행동이 공룡을 전멸시킨 것과 유사한 짓이 될 수 있다고 단정적으로 생각하기는 어려울 것이다. 하지만 그게 바로 우리가 지금 하고 있는 짓이다.

〈현대 인류가 가속화한 종의 상실 : 여섯 번째 대멸종에 접어듦〉이라는 연구에 따르면, 지구상의 종은 지난 수백만 년의 기록보다도 심각하게 빠른 속도로 멸종하고 있다. 영장류의 60퍼센트가 영장류 중 하나의 종에 불과한 바로 우리 때문에 멸종될 위기에 놓여 있다. 세계자연기금World Wide Fund for Nature, WWF의 주요 보고서를 보면, 인간은 지구 생명체의 0.01퍼센트에 불과하지만 1970년대 이후 전체 동물 개체 수의 60퍼센트를 멸종시킨 장본인이다. 론 마일로Ron Milo 교수가 이끈 또 다른 연구에서는 인간이 전체 포유류

중 83퍼센트를 감소시킨 원인임이 밝혀졌다. 국제자연보전연맹International Union for Conservation of Nature, IUCN이 발표하는 멸종위기 종 적색 목록을 들여다보면, 몇 종만 언급해보더라도 호주 대산호초 지역인 그레이트 배리어 리프에 서식하는 설치류 브램블 케이 멜로미스Bramble Cay Melomys와 핀타섬 땅거북Pinta Giant Tortiose, 투명한 지느러미를 지닌 멕시코 황어Mexian Dace Ray-finned Fish, 크리스마스 섬 집박쥐Christmas Island Pipistrelle Bat, 스플렌디드 독개구리Splendid Poison Frog, 사우디 가젤Saudi Gazelle, 꿀을 먹고 사는 새 카우아이오오Kaua'i'ō'ō Honeyeater Bird를 우리가 이미 멸종시켰음을 알 수 있다.

이러한 '생물학적 소멸'은 고대의 기후 양상이나 우연 때문이 아니라 전적으로 우리의 행동 탓이다. 인간이 대기로 방출한 온실가스, 벌목한 나무, 개간한 땅, 이 모든 것이 영향을 미친다. 이러한 결과를 낳은 주요하고도 간과해선 안 되는 원인은 바로 동물에 대한 인간의 착취이며, 주로 식량과 패션이 그 목적이다.

생명다양성 상실과 공장식 축산업단지

동물을 사육하고 성장시켜 식품, 가구, 패션으로 '변형'하는 공장식 축산업단지는 생명다양성 상실과 깊은 관계가 있다. 마일로 교수의 보고서를 보면, 오늘날 지구상에 남아 있는 전체 포유류 중 무려 60퍼센트가 '가축'으로 불리며, 소, 돼지, 양과 같이 상품용으로 사육된다. 사육되는 가축과 인간을 제외하면, 지구에서 야생으로 자유롭게 살아가는 포유류는 불과 4퍼센트밖에 남지 않았다. 호랑이, 코끼리, 코알라, 침팬지, 웜뱃, 곰 등이 모두 이 4퍼센트에 포함된다.

주로 층층이 쌓인 철제 닭장이나 비좁은 헛간에서 생애 대부분을 보내는 양식용 닭은 전 세계 조류 중 70퍼센트를 차지한다. 모든 앵무새나 까마귀, 진홍장미앵무, 관뿔매, 혹은 눈에 띄는 다른 야생 조류를 합해도 닭의 수는 너무 터무니없이 많다. 아 물론, 당신의 접시에 놓인 치킨을 빼고서도 말이다.

여기서 문제의 핵심은 인간이 농장에서 키워 죽이는 가축 수십만 마리가 살아가는 동안 어디서든 지낼 땅과 먹고 살 사료가 필요하다는 점이다. 동물이 서식 가능한 모든 토지의 절반은 (극지방과 불모지는 제외하고) 농사에 이용되고 있으며, 이 토지 중 77퍼센트는 도살될 가축이 풀을 뜯거나 공장식 농장의 부지이거나 이런 가축들의 먹이로 주기 위한 작물을 재배하는 데 쓰인다.

이런 시스템에서는 자연을 위해 남는 공간이 거의 없다. 예를 들어, 예일대학교의 세계삼림지도를 보면 쇠고기와 가죽을 얻기 위한 소 사육은 지구의 허파라고 부르는 아마존 열대우림의 벌채와 파괴에 80퍼센트나 책임이 있다. 전 세계의 양식 어류와 가축 사육장에서 키우는 돼지와 소를 포함하여 공장식 농장에 수용된 가축의 사료로 우선 사용되는 콩 생산을 이와 연결하면 이와 같은 숲의 파괴는 더욱 늘어난다. 같은 콩이라도 비효율적인 유축농업과 달리, 커피에 두유를 넣어 먹는다면 심각하게 지구를 해치지 않는다.

온실가스 배출

온실가스는 기후위기라는 퍼즐에서 가장 많이 언급되는 조각인데, 가축들은 트림과 방귀로 온실가스를 배출한다. 지구온난화의 주범인 온실가스는 공장식 축산업단지에서 특히 두드러진다.

그러나 가축의 트림과 방귀를 논하기 전에 토지 개간과 황폐화, 삼림 벌채에 대해 좀 더 이야기를 해보자. 세계자원연구소World Resources Institute 자료에 따르면, 2019년 한 해 동안 우리는 축구장 크기의 원시림을 6초마다 계속 하나씩 잃어버렸다. 정부 자료를 보면 호주 토지 중 54퍼센트가 오로지 가축을 위한 목초지로 이용된다. 유럽의 경작지 63퍼센트는 유축농업에 이용되며, 영국의 농지 83퍼센트는 가축 사육에 묶여 있다. 미국은 본토에 인접한 모든 주의 토지 41퍼센트가 유축농업과 연관된다. 끔찍이도 넓은 세상이 온통 잡아먹는 데 쓰이고 있다.

이는 생명다양성에만 심각한 영향을 미치는 것이 아니라 탄소배출로 기후에도 타격을 입힌다. 숲은 값을 매길 수 없을 만큼 귀중하다. 숲은 대기 중의 탄소를 빨아들여 안전하게 저장하고 격리함으로써, 우리에게는 숨 쉴 수 있는 공기를 선사하고 수많은 동물에게 보금자리를 제공하며, 전반적인 생태계의 번성을 돕는다. 나무는 3분의 1 이상이 탄소로 되어 있으며, 광합성을 통해 탄소를 산소로 전환하는 능력을 갖고 있다. 나무를 베어내면 나무에 저장된 탄소가 대기

중으로 방출되어 기온이 더 올라간다. 탄소배출을 줄여 기후위기를 타파하는 것을 목표로 채택한 '파리협정'을 지키고 싶다면, 나무를 그토록 무수히 베어내는 짓을 멈춰야 한다. 지구 온도 상승을 막으려면 앞으로 탄소배출량을 획기적으로 줄이는 동시에 오늘 당장 대기를 떠도는 온실가스를 없애야 한다. 탄소격리Carbon Sequestration[3]는 이러한 온실가스 제거에 도움이 되므로 이 때문에라도 우리는 숲을 보호해야 한다.

그렇다면 탄소배출을 줄이기 위해 우리가 할 수 있는 일은 무엇일까? 옥스팜의 보고서에 따르면, 전 세계 최상위 1퍼센트의 부유층이 최하위 인구 50퍼센트보다 탄소 오염물질을 두 배 이상 배출하고 있다. 전 세계 탄소배출량의 대부분이 소수 기업 책임이라는 점을 고려하면 이것은 상당히 까다로운 질문이 될 수도 있을 것이다. 전 세계 정부가 좀 더 안전하고 지속가능한 사회를 만들기보다는 단기적인 경제 성장에 우선순위를 두는 현실은 우리를 무력감에 빠뜨린다.

···· **3.** 산업 활동이나 전력 생산 등에서 배출된 이산화탄소를 포집하여 대기에서 분리한 뒤 유기물에 고정하거나 심해나 지하에 저장하는 방식으로, 숲과 바다는 가장 손쉬운 천연 저장소다.

그러나 우리에겐 힘이 있다. 유엔 식량농업기구FAO는 〈축산업의 긴 그림자Livestock's Long Shadow〉라는 보고서를 발표하여, 유축농업과 관련된 온실가스 배출량이 모든 운송용 연료가 배출하는 배기가스보다 훨씬 더 많다는 사실을 지적했다. 교통 체증에 시달리는 출퇴근 시간의 모든 자동차, 모든 선박, 모든 트럭, 하늘을 나는 모든 비행기가 화석연료를 태운다고 생각해보라. 그런데 그보다 축산업의 온실가스 배출량이 더 많다니! 이것은 대단히 중대하고도 도전적인 통계자료다. 수십억 명에 달하는 우리 인간이 각자 의식주 생활에서 진지한 변화를 이룬다면 지속가능성과 재생을 향한 거대한 움직임에 동참할 수 있음을 의미하기 때문이다. 또한 어떤 산업에 책임을 물어야 하는지 알아낼 수 있다는 의미이기도 하다.

장내 발효

우리는 메탄가스 발생을 절감하기 위한 행동에 돌입해야 한다. 왜 그럴까? 환경보호기금Environmental Defense Fund의 보고서에 따르면, 메탄가스는 탄소보다 무려 84배 더 강력한 지구온난화 효과를 나타내며, 탄소가 100년 이상 장기적인 영향력을 미치는 데 반해 상대적으로 단기간인 약 12년간 단숨에 대기의 온도를 높인다. 탄소처럼 장기간 대기에 머물며 심각한 해악을 끼치는 배출가스가 문제라면, 지금 당장 대기 중 모든 온실가스의 양을 획기적으로 줄여야 한다. 이를 위해서는 단기적인 전략뿐만 아니라 장기적인 전략 수립이 필요하다.

그런데 이것이 가축과 무슨 상관이 있을까? 사료와 섬유질을 섭취하는 가축의 장내 발효 과정에서 발생하는 많은 양의 메탄가스 배출은 축산 농장과 밀접하게 연관되어 있다. 장내 발효란 소와 염소, 양, 기타 동물들이 가스를 배출하고 트림을 하는 현상을 좀 더 과학적인 용어로 부르는 말이다. 위가 여러 개(정확히는 4개)인 이들 반추동물은 무의식적으로 매일 하는 가스 배출 활동이 얼마나 강력하고 해로운 일인지 알지 못한다. 호주 정부 자료에 따르면 호주 전역에서 발생한 메탄가스 배출량의 73퍼센트를 축산 농장 가축들이 차지한다. 미국에서 집계된 인간 관련 메탄가스 배출량의 20퍼센트는 소 때문이다. 영국에서는 1990년 이후 메탄가스 배출량이 줄어든 것으로 보고되었는데, 이는 농장에서 사육되는 가축의 수가 줄어들었기 때문이다.

농업에 중점을 둔 어느 호주 주 정부의 부처인 1차 산업부에서는 "메탄가스가 이산화탄소보다 지구온난화에 훨씬 더 큰 영향력이 있지만, 반감기 또한 짧기 때문에 지금 당장 메탄가스를 줄이면 미래의 지구온난화 감소에 엄청 빠른 효과를 보일 수 있다"고 강조했다. 또한 "가축들의 장내 메탄가스 배출을 줄인다면, 농작물을 재배하는 토지의 비율을 늘일 수 있을 것"이라고 덧붙이며 농부들의 관심을 촉구했다.

기후위기를 막기 위해 가축 사육을 줄여야 하듯이, 육류와 유제품, 달걀, 가죽, 양모를 구매함으로써 그들 산업을 재정적으로 지원하는 일 또한 줄여야 한다는 점은 명확하다.

2050년까지 우리가 전 세계 농업을 식물 재배 농업으로 전환한다면 벌어질 일들

- 지난 16년간 화석연료에서 배출된 배기가스가 대기에서 사라짐.
- 지구 평균기온 상승폭을 1.5도로 고정하고 탄소배출 문제에 할당된 예산 99~163퍼센트에 해당하는 온실가스를 격리할 수 있음.

— 매튜 하이엑, 헬렌 하와트, 윌리엄 리플, 너새니얼 뮬러, 〈토지를 동물성 식품 생산에 이용하는 경우의 탄소 기회비용〉, 《네이처 서스테이너빌리티Nature Sustainability》

EXPLAINER

친절한 설명

초원에서 풀을 뜯는 양떼가 부자연스러운 이유는?

방목 사육된 가축을 찾아 먹거나 공장식 사육이 아닌 축산물을 소비하는 것이 더 친환경적이라는 주장이 있다. 닭과 돼지를 기르는 공장식 농장은 물론이고 양식장 어류의 분뇨에서 방출되는 질소와 인은 수로에 유입되어 부영양화[4]를 일으킨다. 이는 산소 부족으로 해양 생물이 거의 생존할 수 없는 데드존Dead Zone으로 이어질 수 있다.

이것이야말로 끔찍한 일이지만 방목 사육은 해결책이 아

4. 인이나 질소 따위를 함유하는 더러운 물이 호수나 강, 바다로 흘러들어 이것을 양분 삼아 플랑크톤이 비정상적으로 번식하여 수질이 오염되는 일.

니며, 오히려 방목으로 더 많은 땅이 잠식됨을 의미한다. 축산 농장은 식물을 재배하는 농장보다 언제나 더 넓은 토지가 필요한데, 이미 풀이 자라고 있는 땅을 굳이 개간하는 것에 왜 우리는 관심을 기울일까? 우거진 풀숲이 물결치듯 펼쳐진 초원은 부자연스럽다고 받아들이는 것이 현실이다. 헬렌 하와트Helen Harwatt 박사는 그러한 풍경을 개발이 중단된 상태라고 설명한다. 그러한 초원에는 변화가 없으며, 새로운 생명의 싹을 틔우거나 짐승들에게 피난처를 제공하지도 못한다. 흔히 그런 땅에는 현 상태를 그대로 유지하기 위하여 질소 비료가 살포되고, 토종이 아닌 가축의 발굽은 토양을 파괴한다. 이러한 효과 때문에 양모와 고기를 얻고자 남미 파타고니아 공원에서 널리 방목되던 양떼는 공원을 거의 사막으로 만들었고, 캐시미어 생산량의 증가 탓에 몽골의 초원도 사라질 위기에 처해 있다.

가축 방목으로 약간 황량해졌다고 하더라도 푸른 초원은 여전히 자연스러워 보일 수도 있고, 어쩌면 풍요롭게 여겨질지도 모른다. 그러나 그곳의 현실은 어떤가? 대개 자라는 풀은 한 종류뿐이고 기껏해야 나무 몇 그루, 도축을 위해 사육되는 가축도 단일종이다. 이는 자연스럽지 못하며, 우리가 추구하는 소중한 생명다양성도 찾아볼 수 없다. 다양한 곤충을 유인할 수 있는 식물 종류의 폭도 넓지 않을뿐더러 다양한 벌레 종류를 즐기며 포식할 소형 토종 설치류와 포유류, 조류도 있을 리 없다. 이러한 생명다양성 없이는 식물이 병들 위험이 더 커지고, 토양의 자양분은 점점 줄어들어 궁극적으로 진정한 '자연'의 모습은 점점 빛을 잃는다.

우리가 흔히 '자연스럽다'고 생각하는 것이 실제로는 자연과 거리가 먼 경우가 많다. 하와트 박사는 그 이유가 세대 간의 '기준선 변화' 때문이며, 공장식 축산업을 위해 지구의 생태계가 지속적으로 파괴되는 현실을 우리가 외면하는 이유 또한 그 때문이라고 믿는다. "우리 부모와 조부모 세대는 지금 우리가 기억하는 것과는 아마도 무척 다른 곤충과 동물에 대한 기억을 갖고 있을 테고, 곤충과 동물이 더 풍요로웠던 시기를 기억하겠지만…… 우리는 생태계가 훨씬 더 척박하고 파괴된 환경에서 자랐기 때문에 그것이 정상이라고 여긴다." 하지만 앞으로도 계속해서 훨씬 더 척박하고 파괴된 환경을 '정상'이라고 용납할 수는 없다.

유엔은 우리가 지금 당장 변화하지 않으면 임계점에 도달해, 다시는 돌이킬 수 없는 지구의 격변과 재앙으로 이어질 것이라고 경고한다. 2050년에 다가올 기후변화에 대한 최악의 시나리오는 오염된 공기가 피부에 들러붙어 호흡하기조차 어려워진다는 것이다. 이 시나리오대로라면 수많은 지역에서 인간이 살아가기가 불가능하고, 여름엔 섭씨 60도가 넘는 폭염을 견뎌야 하는 사람도 많아진다. 고온으로 대기의 수분이 폭증하고 해수 온도가 상승해 극단적인 규모의 허리케인이 발생해 취약한 해안가 지역의 주민을 몰살시키는 사태는 그리 머지않은 미래의 일이다. 그들 중 일부는 해수면 상승으로 집이 침수되어 어쩔 수 없이 고향을 떠나 피난처를 찾아야 할 것이다.

환경에 대한 기준선의 변화 때문에 어리석게도 이 모든 일이 자연스럽고 예방할 수 없는 일이라고 받아들여서는 곤란하다.

재생 농업이 보기만큼 훌륭하지 않은 이유

재생 농업은 훌륭하지만, 재생 유축농업도 과연 그러할까? 별로 그렇진 못하다.

재생 농업 자체는 대단히 중요하다. 근본적으로 농업은 지속가능할 뿐만 아니라 자연환경과 토양 건강에도 이롭다. 농업은 자연 생태계와 어우러져 돌아간다. 농업은 사실 새로운 것이 아니라 겉포장만 달라졌을 뿐이다. 수많은 나라가 식민지화하기 훨씬 전부터 오랜 세월 전 세계 원주민들이 실천해온 농사 방식은 종종 지금까지도 여전히 이어지고 있다.

오늘날 좀 더 재생력을 높인 농법의 예를 몇 가지 든다면 윤작과 다양한 작물 재배가 있는데, 이런 농업 시스템은 토양의 박테리아에도 이롭고 질병의 위협을 줄여준다. 견과류 나무나 과실수 사이에 피복 식물을 심으면 토양 침식을 막는 효과가 있으며, 농부가 화학 살충제와 비료 사용을 줄이면 생태계가 살아나 벌레들이 자연스럽게 서로 균형을 이룬다.

이런 농업은 모두 훌륭하지만 여기서 문제점이 대두된다. 축산업 역시 변화가 필요 없으며, 단지 '더 잘' 운영하기만

하면 된다는 주장 때문이다. 재생 방식의 축산업이나 순환 방목에 대해서도 여러 주장이 오간다. 목초지에서 방목하는 소와 양을 주기적으로 이동시켜 땅을 순환하면, 토지가 휴식을 취하면서 탄소를 격리시켜 심지어는 유축농업으로 배출되는 탄소를 마이너스로 줄일 수도 있다는 것이다. 그들은 동물이 모든 생태계의 필수적인 부분이기 때문에 농업에 동물이 포함되는 것은 당연하며 그것이야말로 진정한 재생이라고 주장한다. 가축의 배설물은 마법 같은 효과가 있고 발굽은 토양에 매우 도움이 되므로, 가축 사육을 하지 않으면 농업은 재생가능성은 고사하고 아무것도 아니라는 식이다.

그러나 이러한 주장은 싹부터 잘라내는 것이 대단히 쉽다. 일부 유축농업 방식이 다른 유축농업 방식보다 환경에 영향을 덜 주기는 하겠지만, 널리 칭송되는 순환 방목식 '재생' 가축 사육은 그들의 주장만큼 온실가스 배출 감소에 유의미한 결과를 낳지 못한다는 사실이 확인되었다. 〈방목과 혼란?〉이라는 획기적인 보고서에 언급된 300개의 출처에 따르면, 기존 가축 사육 방식과 비교하면 온실가스 배출량이 감소하기는 하지만, 축산업 대신 식물만 재배하는 농업이었다면 그 배출량은 훨씬 더 적어질 것이다.

동물이 생태계의 건강에 필수적이기는 하지만, 우리에게 필요한 동물은 잡아먹을 가축이 아니라 법의 보호를 받아 평화롭게 살아가야 하는 토종 동물들이다.

유축농업의 비효율성

친환경인 척하는 유축농업 대신 지속가능하고 재생가능한 미래를 향한 우리의 노력을 더욱 생산적으로 만들 수 있는 방법은 유축농업 시스템의 비효율성을 인정하고, 그것을 넘어서려면 무엇을 해야 하는지 고민하는 것이다. 그럼 우리 함께 면밀히 살펴보자.

우리는 자원이 한정된 지구에 살고 있으면서도 마치 모든 것이 끊임없이 공급된다는 듯이, 결과를 생각하지 않고 지구에서 계속해서 자원을 뽑아낼 수 있을 것처럼 행동한다. 그러나 그것은 사실이 아니다.

'지구 생태 용량 초과의 날Earth Overshoot Day'이란 매년 지구의 생태 자원과 서비스에 대한 인류의 수요량이 그해 지구가 재생할 수 있는 양을 초과한 날을 가리킨다. 코로나19가 가져온 지속적인 팬데믹 효과 덕분에 우리가 지구에

끼친 영향력이 일부 줄었음에도 2021년 지구 생태 용량 초과의 날은 7월 29일에 찾아왔다.

우리는 더 올바르게 행동해야 한다. 그렇다면 어떻게 자원을 덜 사용하면서 잘 살아갈 수 있을까? 우리가 먹고 입는 것은 아주 좋은 출발점이다. 지구상 거주 가능한 모든 토지의 절반은 농업에 이용되며, 그 토지의 77퍼센트는 동물 소비를 위해 황폐해지는 중이다. 이런 상황인데도 《사이언스》에 발표된 지구상 식량의 영향력에 대한 가장 광범위한 보고서인 〈생산자와 소비자를 통한 식량의 환경 영향력 줄이기〉라는 논문에 따르면, 동물성 식품은 전 세계인의 섭취 칼로리 중 18퍼센트에 불과하며 총 단백질의 37퍼센트다. 《내셔널 지오그래픽》의 연구를 보면, 인간의 소비를 위해 다양한 작물을 재배할 수 있는 토지에서 굳이 가축을 먹일 곡물을 키우며 인간이 얻어낼 수 있는 열량은 100칼로리당 닭고기에서 겨우 12칼로리, 돼지 사체에서는 10칼로리, 소의 사체에서는 3칼로리에 불과했다.

앞서 언급한 《사이언스》의 같은 보고서에 따르면, 육류 대신 과일과 채소, 버섯, 곡물, 견과류, 콩류를 우리에게 공급할 수 있는 농업으로 전환하여 존재 가치를 잃어버린 땅에 식물을 재배하면, 농업에 할당한 토지의 75퍼센트를 휴경지로 되돌리고도 여전히 전 인류에게 충분한 영양을 공급할 수 있음이 확인되었다.

우리의 식생활을 바꿔야 한다.
지구는 수십 억 명의 육식주의자를 감당할 수 없다.

– 데이비드 애튼버러 경Sir David Attenborough

EXPLAINER

친절한 설명

야생으로 되돌리기

야생으로 되돌리기는 인간이 만들어낸 문제에 대한 자연스러운 해결책으로, 자연이 스스로 재생하도록 단순히 내버려두는 것을 의미한다. 처음에는 아무래도 토종 나무와 식물을 심어 인간이 도움을 줄 수도 있지만, 그 이후에는 자연이 알아서 하도록 대체로 내버려두는 것이다.

방목에 쓰인 황량한 초원과 비좁은 사육장, 콘크리트로 뒤덮인 공장식 축산 농장이 무성한 풀밭과 다양한 수풀, 덤불, 숲으로 대체되어 다양한 종류의 토종 식물과 나무, 꽃, 버섯, 이끼, 곤충, 포유류, 파충류, 어류가 넘쳐난다고 상상해 보라. 서식지가 파괴된 탓에 종종 터전을 잃고 곤경을 겪던 토종 동물들에게 그 땅이 피난처와 집을 제공한다고 상상해보라. 야생으로 되돌리기 과정을 거치면 이런 일이 이루어질 수 있다.

이와 같은 생명다양성은 현재 우리가 겪고 있는 지구온난화에도 이롭다. 비효율적인 유축농업을 위한 토지 사용은 '탄소 기회비용'을 발생시키기 때문이다. 《네이처 서스테이너빌리티》에 발표된 연구를 보면, 2050년까지 전적으로 식물만 재배하는 농업 시스템으로 전환한다면 장기적으로 온실가스를 안전하고 지속가능한 수준으로 격리 및 저장할 수 있으며, 이는 탄소배출 관련 예산의 99~163퍼센트에 해당하는 효과라고 지적한다. 이 예산은 탄소배출량이 우리가 손 쓸 수 있는 범위를 벗어나기 전에 우리에게 남겨진 총 탄소배출량이다. 다시 말하면 이 조치만으로도 지구 온도 상승폭을 1.5도에 그치도록 제한할 수 있는 확률이 66퍼센트에 달한다. 생태계 복원으로 이 모든 일이 가능해지며, 이는 결국 탄소격리로도 이어질 것이다. 또한 환경에 필수적인 청정에너지 혁명과 결합된다면 이로써 미래는 완전히 달라질 것이다.

다행히도 생명다양성 회복을 위한 이런 종류의 야생으

로 되돌리기 운동뿐만 아니라, 축산업을 식물 재배 농장으로 전환하려는 노력을 위해 쓸 수 있는 자금은 이미 마련되어 있다. 식량과 토지 이용 연합Food and Land Use Coalition에 따르면, 다만 현재로서는 그 자금이 유축농업을 지원하는 막대한 보조금으로 흘러들어가기 때문에 우리 건강을 위협하는 유해한 시스템의 부정적인 영향력이 낳은 대가를 치르고 있을 따름이다.

사회 지도자들에게 가하는 지역사회의 압력과 병행하여, 동물의 목숨을 빼앗지 않는 방향으로 먹고 입는 것에 대한 선택을 통하여 개개인이 각자 일상에서 채식을 근간으로 하는 농업 시스템을 뒷받침하는 행동을 취한다면, 우리는 그러한 희망적인 미래를 가질 수 있을 것이다.

EXPLAINER

친절한 설명

어업의 영향력

중국과 나이지리아, 북미, 유럽에 사는 사람을 모두 합하면 인구가 약 27억 명에 달하는데, 어류 보호단체인 피시카운트Fish Count의 추산에 따르면 매일 그보다 많은 수의 물고기가 잡혀 죽임을 당한다. 잠시 짬을 내어 그게 얼마나 엄청난 규모인지 생각해보기 바란다.

우리는 물고기를 쓸모도 없고 늘 다시 보충되는 상품으로 취급하며, 물고기의 터전인 바다를 보물창고이자 쓰레기장으로 여긴다. 해양생물 조사기구The Census of Marine Life에 따르면 대형 어종의 90퍼센트는 이미 사라졌고 더 많은 어종이 멸종위기에 직면했는데, 그 원인은 거의 전적으로 인간의 행동과 나태함 때문이다. 유엔의 자료를 보아도 예전에 어류가 살아가던 해역의 90퍼센트는 현재 어류가 사라졌거나 사라져간다.

'멸종위기에 처한 90종 이상의 어류와 무척추동물이 산업형 어업으로 포획된다'는 제목으로 《네이처 커뮤니케이션스Nature Communications》에 실린 논문은 본문을 읽기 전부터 이미 충격적이다. 모든 해양 어종의 6퍼센트 이상이 국제자연보전연맹이 집계한 멸종위기종 적색 목록에 등재되어 있다. 오세아나 보고서에 따르면 멸종위기에 처한 물고기는 종종 잘못 분류되어 판매되는 경우가 많기 때문에, 소비자가 멸종위기 어종을 먹더라도 알 방법이 없다는 의미다.

남방 참다랑어는 길이가 2.5미터까지 성장하고 수명이 40년에 달하며 바다 위로 솟구쳐 오르는 장엄한 생명체다. 그러나 어종으로서 이 어류는 국제자연보전연맹이 지정한 위급Critically Endangered 단계의 멸종위기종으로 계속해서 바다에서 삶의 터전을 빼앗기고 있다. 그러나 다큐멘터리 영화 〈디 엔드 오브 더 라인The End of the Line〉에 출연한 독립 어업 컨설턴트가 털어놓았듯이, 이 어종의 개체와 생태계를 보존하는 대신 사람들은 남방 참다랑어가 어쩔 수 없이 멸종되는 순간을 앞에 두고도 판매와 (문자 그대로) 도살하기 위해 냉동 창고에 보관하는 것으로 보인다. 미국 공영라디오 방송에서는 2019년 참다랑어 사체 한 마리가 미화 300만 달러에 팔렸다고 보도했다. 멸종 동물로 돈을 번다는 것은 부도덕한 일이다.

환경적 관점에서 볼 때 생명다양성은 지상에서와 마찬가지로 바닷속에서도 중요하다. 어류가 없다면 바다 생태계 전체가 무너질 것이다. 우리가 어류를 멸종시키면, 어류를 먹이로 삼고 살아가는 일부 고래류와 상어, 돌고래, 물개, 펭귄 같은 종들 또한 죽게 될 것이다. 서로 뒷받침하며 공생하는 이 모든 종이 사라지면, 해조류와 갈조류, 플랑크톤, 크릴새우, 해양벌레 등도 심각한 위협을 받을 것이다. 황폐한 바다는 곧 황폐한 육지를 의미한다. 바다는 지구에서 사람이 살 수 있는 이유이며, 전 세계 산소의 80퍼센트를 생산한다. 우리가 지구에서 계속 살아가길 원한다면 바다를 보호해야 한다.

어업의 실제 모습은 어떨까

누군가 낚시를 하는 모습을 상상해보라. 당신은 분명 오늘날 일반적으로 어류를 포획하는 방식과는 전혀 다른 장면을 상상했을 것이다. 수산업은 몇 가지 주요 방식으로 이루어지며, 그 종류에는 저인망 어업, 선망 어업, 연승 어업, 자망 어업이 있다.

저인망 어업

환경 파괴 때문에 아마도 가장 잘 알려진 어획 방법 중 하나로, 저인망 어업은 그물을 해저 바닥까지 늘어뜨려 어종을 포획하는 방식이다. 이런 종류의 그물은 오징어, 새우, 광어 및 기타 해양 동물을 잡는 것을 목표로 삼는다. 묵직한 그물이 바닥을 훑으며 깊은 바닷속의 산호초를 터전으로 살아가는 모든 어종을 잡아들이면서 산호까지 그물에 얽혀 파괴되고 죽는다. 저인망 어업은 바닷속 숲 전체를 불도저로 밀어버리는 것과 같다.

선망 어업

또 하나의 흔한 어획 방식은 대형 어선으로 물고기 떼를 찾아 크레인을 활용하여 끈으로 여미는 주머니처럼 그물을 잡아당겨 물고기 떼 전체를 잡아들이는 방식이다. 호주 정부 수산업 기구에 따르면 거대한 선망 어업용 그물은 최대 길이가 2,000미터, 깊이가 200미터에 달한다고 한다. 유엔 식량농업기구FAO는 이 그물로 참치를 최대 1,500톤까지 잡을 수 있다고 설명한다. 무게로 환산하면 단 한 번의 그물질로 한꺼번에 가다랑어 개체 43,400마리 이상, 또는 성체 황다랑어 8,500마리 이상에 해당한다. 이 그물은 연어 산업에서도 널리 사용된다.

연승 어업

바다의 수심에 따라 긴 낚싯줄이 참치, 대구, 황새치 등 모든 종류의 어류를 잡는 데 이용된다. 이름에 어울리게 연승 어업은 수십 킬로미터에 이르는 긴 낚싯줄을 바다에 드리운다. 최대 수십만 개에 달하는 날카로운 갈고리가 줄에 매달려 100킬로미터까지 이어진다. 이 줄을 몇 시간 동안 방치했다가 물고기가 갈고리에 걸리면 어선으로 끌어올린다.

자망 어업

때때로 '죽음의 벽'이라고도 부르는 이 그물은 길이가 수 킬로미터에 달하지만 물고기에게는 보이지 않는다. 물고기나 상어, 기타 바다 동물들이 이 그물 안으로 헤엄쳐 들어가면 필사적으로 달아나려 한다. 어류와 상어는 빠져나가려고 몸부림을 치다가 아가미와 꼬리지느러미, 등가시 등이 그물에 걸린다. 이 과정은 종종 고통스럽고 물고기에게 부상을 입히며 당연히 스트레스를 유발한다. 이런 그물은 톱상어와 극지별상어를 잡는 데 사용되는데, 이 두 상어는 '플레이크'라는 더 친숙한 이름으로 불리며 전 세계적으로 다른 어종과 함께 피시앤칩스 가게에서 자주 판매된다.

'혼획' 어종

그물은 다른 어류의 종을 구분하지 못한다. 터무니없게도 전 세계에서 잡히는 해양 생물의 무려 40퍼센트가 부주의한 수산업 활동으로 의도치 않게 포획된다. 오세아나는 어업 활동 중 '혼획'으로 잡혀 죽어가거나 죽은 물고기를 육지로 가져오는 경우보다 바다에 던져버리는 일이 더 많다는 사실을 확인했다. 수산업의 특성상 문서가 부족하기 때문에 대략적인 추정치가 엄청 과소평가된 것으로 여겨지지만, 해마다 소형 고래와 돌고래 30만 마리, 멸종위기종이거나 위급 단계의 멸종위기종인 바다거북 25만 마리, 바닷새 30만 마리가 이러한 혼획으로 죽는 것으로 추산된다.

수명이 길고 번식이 느린 바다거북, 소형 고래류, 바다표범, 돌고래뿐만 아니라 멸종위기종 어류들은 이런 어업 방식 탓에 엄청난 고초를 겪는다. 바다표범과 멸종위기종인 알바트로스 같은 바닷새도 목숨을 잃지만, 해저면에서 살아가는 불가사리와 게, 다른 해양 동물들도 마찬가지다. 긴 낚싯줄에 달린 갈고리에 부리가 걸려 익사하는 새나 그물에 온몸이 엉켜 있는 바다거북, 어선에 실려 있는 죽은 상어의 끔찍한 이미지는 인터넷에서 흔히 찾아볼 수 있는데, 모두 이런 문제가 얼마나 심각한지 보여준다.

논란의 여지가 있는 FAD(물고기 집어 장치로 일종의 물고기 자석이라 할 수 있다)를 활용하여 물고기를 어선으로 유인하는 어업 활동도 많아졌다. 이런 장치를 쓰면 주어진 어획 시간에 죽는 어종의 수가 크게 늘어난다. 어획을 목적으로 바다에 갈고리나 그물을 던져 넣을 때마다, 그물이나 낚싯줄 끝에 무엇이 걸렸을지 확실히 알 방법은 없다.

기후변화를 언급하고 싶을 때 맨 처음

당신이 해야 할 일은 바다를 보호하는 것이다.

그리고 그 해결책은 아주 간단하다.

그냥 내버려둘 것.

— 폴 왓슨Paul Watson

EXPLAINER

친절한 설명

양식 어류

원양어업이 빚어낸 생태계의 공포와 엄청난 수의 죽음을 알게 된 일부 사람은 양식 어류로 눈을 돌린다. 그러나 양식업의 손을 들어주는 것은 지속가능한 선택이 아니다. 양식업은 어류의 공장식 농장이다. 양식 어류는 실내에서 번식하고 사육되어 평생 수조에서 살거나 가두리 양식장으로 방출된다.

가두리(광고에서 보는 것만큼 근사하지도 않다)라고 부르는 바다 양식장은 자연 서식지와 비교하면 별로 크지 않다. 연어는 보통 일생 동안 수천, 수백 킬로미터를 헤엄친다. 동물복지 인증을 받은 호주의 어느 양식장은 둘레 240미터, 깊이가 최소 5미터의 가두리에서 연어를 키운다. 이곳의 가두리는 세계에서 가장 큰 규모로 알려져 있다. 그런데도 물고기들은 빽빽하게 들어차 있으며, 곧 도살될 성체 연어들은 가로세로높이가 1미터인 공간에 세 마리씩 갇혀 있다.

양식업의 윤리적 함의에 대해서는 나중에 다룰 텐데, 지금은 우선 비효율성과 감염, 오염에 대한 이야기를 해보자. 〈재앙을 위한 어업〉 보고서에 따르면, 자연에서 잡힌 모든 어류 중 5분의 1이 어류를 포함한 농장 동물에게 먹이로 제공되는데, 이 사실을 당신은 알고 있는가? 소형 어류 1킬로그램은 연어 살 1.2킬로그램을 '생산하기' 위해 어분 가루로 만들어져 사료로 먹힌다. 그러므로 바다의 파괴가 염려된다면 양식업은 좋은 대안이 아니다.

육지의 공장식 양식장과 마찬가지로, 물고기로 가득 찬 바다 가두리 양식장에서도 물고기의 배설물 같은 수많은 쓰레기가 배출되어 부영양화의 원인이 되고 주변 생태계의 균형을 깨뜨릴 수 있다. 그와 마찬가지로 양어장은 야생 어류 집단에 감염을 일으킬 때도 파괴적인 결과를 낳는다. 《어류 생물학 저널Journal of Fish Biology》에 실린 논문에 따르면, 바다 이에게 살을 갉아 먹힌 물고기가 밀집 사육 탓에 결국 온몸이 상처로 뒤덮이면 가두리 전체에 감염이 번져 인근에서 살아가는 야생 개체군까지도 전염될 수 있다. 영국에서 연어를 상업적으로 포획하는 일이 없었는데도 스코틀랜드의 야생 연어 개체 수가 역대 최저 수준임을 확인한 BBC의 보도 역시 부분적으로는 이 같은 기생충 감염 때문이었다. 캐나다의 몇몇 지역에서는 어린 야생 연어의 95퍼센트가 바다 이 감염으로 폐사했다. 아르헨티나에서는 환경과 바다 생명체를 보호하기 위해 연어 양식업을 금지했다.

이제는 우리도 물고기를 가만 좀 내버려둘 때가 왔다. 그렇다고 걱정할 필요는 없다. 다른 먹거리는 충분하니까.

• 2장

지구 치유하기

먹거리의 미래

먹거리의 미래는 친환경이다. 지속가능한 식생활을 위해서는 자신이 사는 지역에서 생산한 로컬푸드를 먹어야 한다고 주장하는 사람이 더러 있다. 사실 맞는 말이다. 로컬푸드를 먹으면 소비자에게 도달하기까지 먹거리가 얼마나 먼 거리를 이동했는지, 그리고 그와 관련된 온실가스 배출량은 얼마나 되는지 표시하는 '푸드 마일리지'가 줄어들고, 그 과정에서 지역경제와 지역사회 발전에 도움이 되기 때문이다.

그러나 〈데이터로 보는 우리 세계Our World in Data〉에서 발행된 기사를 보면, 기후변화를 자국에 대한 심각한 위협으로 여기는 사람(전 세계적으로 10명 가운데 약 8명)이라면 먹거리의 원산지보다는 먹거리의 실체에 더 관심을 기울여야 함이 분명히 드러난다. 도시 인근에서 생산한 달걀이나 가족 소유 소규모 농장에서 '방목'한 육류를 먹는 것이 식물성 먹거리를 먹는 것보다 생태계를 위해 좀 더 책임감 있는 행동일 것이라고 여기는 근거 없는 믿음을 이제는 버릴 때가 되었다. 그렇다, 지구 반대편에서 날아온 채소라고 해도 마찬가지다.

구체적인 수치를 살펴보면, 대부분의 식물성 식품에서 배출되는 이산화탄소량은 대부분의 동물성 식품보다 10배에서 50배나 적다. 운송 거리, 식품 생산에 사용되는 특정한 농사 기법(재생 농법으로 회귀하는 경우), 심지어는 포장(플라스틱아 안녕, 넌 나쁜 녀석이지만 여기서는 네가 최악의 악당이 아니란다) 방법조차 먹거리 형태 자체보다는 훨씬 덜 중요한 경우가 많다. 달걀, 양식 어류, 유제품, 양식 새우, 모든 형태의 육류는 두유나 완두콩, 견과류, 옥수수 같은 그 어느 식물성 식품보다도 환경에 더 막대한 영향을 미친다.

미래의 먹거리는 식물성 식품이자, 실험실에서 재배되는 식품이다.

정의롭고 공정하며, 비폭력적이지 않은 한
미래는 지속가능하지 않다.
이런 세상을 불러오려면
우리 모두 맡은 역할을 해야 한다.

ACTION

어떻게 행동하면 좋을까

비건 채식 재료로 주방을 채우자

식료품 저장고와 냉장고에 보관해두면 기후위기에도 이로우면서 식물성 요리의 기본이 될 만한 식자재들이 몇 가지 있다. 물론 비건 채식용 식물성 고기와 치즈도 시판되어 있지만, 소박함과 가격 접근성 면에서(비건 채식 전용 상품이 점점 더 다양해지고 가격도 동물성 식품 가격과 비슷해지고 있기는 하다) 정직한 식물성 재료를 고수해보자.

미리 단언하는데 나는 요리사가 아니며 실제로 요리를 즐기지도 않는다.

하지만 먹는 건 즐겁다! 나는 활기차고 건강하며, 당신도 다음과 같은 먹거리로 엄청나게 다양한 요리를 만들어 먹을 수 있다. 식료품을 구할 수 있는 곳이라면 어디든 찾아가서, 과연 또 어떤 재료를 우연히 만나게 될지 한번 시도해보라.

실온에 보관하는 단백질 식품

- 렌틸콩(카레와 볼로네제 소스에 잘 어울림)
- 검은콩(부리토와 타코에 넣으면 맛있음)
- 카넬리니와 강낭콩(미네스트로네 수프[5]에 딱 맞음)
- 부드러운 두부와 단단한 두부(볶음, 스크램블 및 모든 용도에 적합한 재료인 두부는 적합한 조리법으로 풍미를 살리면 어떤 요리로도 탄생 가능함)
- 병아리콩(김과 섞어서 채식 '참치'를 만들거나 카레에 사용)

곡물과 탄수화물

- 파스타(달걀이 들어가지 않은 대부분의 건조 파스타), 현미와 백미, 쌀, 우동, 메밀국수
- 각종 감자(통감자구이부터 일본식 카레, 부추를 넣은 감자수프에 이르기까지 모든 요리에 활용)

5. 이탈리아식 야채 수프로 파스타나 쌀을 넣어 걸쭉하게 끓임.

- 밀가루(오일에 밀가루를 볶다가 두유나 식물성 우유를 넣으면 라자냐나 나초에 어울리는 치즈 같은 맛있는 베샤멜 소스가 탄생함)

견과류, 씨앗류, 소스 및 조미료

- 치아시드(스무디에 넣으면 잘 어울리고 포만감이 오래감)
- 브라질너트(셀레늄의 좋은 공급원으로, 두뇌 활력을 위해 하루 두세 개만 섭취하면 충분함)
- 참깨(맛있는 고명)
- 영양 효모[6](비타민 B_{12}가 풍부한 좋은 식품에 붙기엔 이름이 너무 별로지만, 음식에 뿌리면 치즈 같은 풍미를 냄)
- 파사타[7]

냉장 보관 식품

- 선택 가능한 식물성 우유 종류에는 (필자가 개인적으로 선호하는) 두유와 오트밀크 등이 있다. 마트에서 파는 장기 보관용 멸균처리 두유 코너에서 가장 저렴한 상품을

6. 비활성 건조 효모의 일종으로 식물성 고단백 건강식품.
7. 토마토 퓌레의 이탈리아식 이름.

구할 수 있음.

- 다양한 채소. 브로콜리, 호박, 방울양배추 등 기호에 따라 무엇이든 좋음.
- 양상추, 시금치, 케일 같은 초록잎채소(철분이 많은데 오렌지주스처럼 비타민 C도 많아서 철분 흡수에 도움이 됨. 살짝 데쳐서 식사에 곁들이거나, 튀겨서 칩을 만들어 먹거나 갈아서 스무디로 먹어도 좋음)
- 비건 버터(필자의 추천은 식물성 버터 너틀렉스Nuttelex. 코코넛으로 만든 식물성 버터는 팜유가 들어 있지 않으면서 코코넛 향도 나지 않음)

ACTION

어떻게 행동하면 좋을까

한 끼, 하루, 한 달 동안 완전히 동물성 식품 먹지 않기

인간은 더 나은 방향으로 가는 길일지라도 항상 변화를 추구하진 않는다. 변화는 벅차게 느껴질 수도 있지만, 꼭 그러지 않아도 된다. 단순한 질문부터 시작해보자. 아침식사로 당신은 무엇을 먹는가? 시리얼이나 뮤즐리를 먹는다면 유제품을 식물성 우유로 바꿔보자.

토스트를 더 즐기는 사람이라면 일반 버터 대신 땅콩버터나 베이크드빈스(토마토소스에 넣어 삶은 콩으로 대부분 비건이다)나 과일 잼을 계속 즐기면 된다. 갖가지 과일에 초록잎채소를 좀 넣고 식물성 우유에 메이플 시럽을 넣어 단맛을 낸 스무디를 만들어보라.

식물성 재료만으로 아침식사를 성공했다면, 점심과 저녁도 시도해보자.

일단 일주일에 두어 번 해보다가 좀 더 규칙적으로 실천하자. 혹시 화끈한 성격이라면 그냥 단번에 끊어버리는 것도 좋다. 비건 채식으로 쉽게 만들 수 있는 요리는 상당히 많다. 구글에 당신이 좋아하는 요리와 '비건'을 한꺼번에 검색해서 어떤 결과가 나오는지 한번 확인해보라. 엔칠라다Enchilada? 예스. 셰퍼드파이Shepherd's Pie? 예스. 락사Laksa는? 예스. 일부 요리는 이미 동물성 식재료를 거의 사용하지 않는다. 당신의 최애 음식도 그중 하나인지 알아보라.

비건 요리를 먹는다는 것은 흥미로운 일이다. 새로운 재료와 새로운 맛, 새로운 메뉴를 발견할 수 있기 때문이다. 또는 아주 단순하게 접근할 수도 있다. 볼로네제 소스를 좋아한다면 쓸데없이 시간을 낭비하지 마시라. 식물성 다짐육을 사거나, 렌틸콩에 채소를 잘게 다져 넣고 볼로네제 소스를 만들면 된다. 일단 몇 가지 요리 비법만 익히면, 예전에 먹던 것들을 그리워하지 않게 될 것이다.

보너스 포인트 : 친구를 식사에 초대해 이를 나누며 지구를 위한 역할도 함께 해보라.

애니멀프리 패션에 관해 이야기해야 하는 이유

지속가능성과 유축농업의 폐해에 관한 언급을 들어보면, 우리 옷장을 채우고 있는 것들의 영향력에 대한 이야기는 쏙 빠진 경우가 너무 많다. 이건 말이 되질 않는다. 가죽과 양모는 다른 모든 동물성 재료나 먹거리와 마찬가지로 지구에 충격적인 영향력을 미치기 때문이다.

합성 소재 섬유가 증가한 탓에 거의 모든 사람이 미세플라스틱에 대한 이야기를 한다. 이것도 분명 문제지만 다양한 소재의 제품 생산과 환경에 미치는 영향력의 관계를 살펴보면, '지속가능한 의류 연합Sustainable Apparel Coalition'의 히그 지수Higg Material Sustainability Index[8]를 보아도 동물을 재료로 삼은 제품의 영향력이 훨씬 더 심각하다. 사실상 실크, 알파카 털, 소가죽은 환경에 가장 심각한 영향을 미치는 3대 소재다. 다른 모든 동물성 소재는 그 뒤를 바짝 쫓고 있으며, 심지어 가죽 대신 사용하는 가장 일반적인 소재인 폴리우레탄 인조가죽은 소가죽으로 만든 가죽 제품보

8. 섬유 산업의 환경 영향 평가 지수로, 제품 생산의 전 과정이 환경에 미치는 영향을 간단한 수치로 나타냄.

다 환경에 미치는 영향이 약 7분의 1이다.

가죽과 양털, 오리털이 육류와 유제품 산업의 부산물은 아니지만, 수많은 양모 업자처럼 주요 수입원은 아닐지 몰라도 귀중한 공동 생산품목이기 때문에 이 모든 상황은 매우 중요하다. 예를 들어, 전 세계 가죽 제품 시장은 2025년까지 추산되는 가치가 6,300억 달러에 달한다. 소가죽이 순전히 폐기물을 줄이기 위해 사용되는 것이라는 생각은 터무니없는 착각이다. 본질적으로 지속불가능하고 잔인하며 자본주의적인 산업이 수익성 없는 사업을 이어왔을 리가 없다.

'공동 패션 정의Collective Fashion Justice'의 서컴파우나Circumfauna 프로젝트에 따르면 가죽 부츠 한 켤레를 생산하기 위해 이산화탄소 환산량(CO_{2e})[9]이 최소 66킬로그램이나 배출된다는 사실이 확인되었다. 이는 스마트폰 8,417대를 충전하는 것과 같다. 폴리우레탄 소재 인조가죽 부츠를 만들고 그 신발의 '최후'에 소각되는(재활용될 수 없는 경우) 과정에서 나오는 온실가스 배출량은 CO_{2e}로 9.5킬로그램에 불과하다. 이것 역시 약 7분의 1에 해당한다.

9. 다양한 온실가스의 배출량을 이산화탄소로 환산한 값.

물 부족에 더 관심이 있다면 유의해야 할 점이 있다. 같은 기관의 보고서를 보면 소가죽으로 만든 토트백의 물발자국 Water Footprint[10]은 17,000리터가 넘는데, 이는 한 사람이 23년 이상 마실 수 있는 물의 양이다. 이 책을 쓰고 있는 이 순간까지도 나는 과거 들고 다니던 가죽 토트백을 생산하는 데 필요한 만큼의 물을 다 마시지 못했다. 추정치에 따르면 인조가죽은 환경 영향력이 약 14분의 1로 줄어들며, 파인애플 잎으로 만든 가죽, 선인장가죽, 코르크 등 기타 비건 가죽은 동물가죽을 입을 때보다 물을 훨씬 덜 사용한다.

호주산 면과 양모를 비교해보아도 눈여겨볼 것이 아주 많다. 호주는 이 두 제품의 주요 수출국이며, 실제로 호주는 양모 최대 수출국이기 때문이다. 서컴파우나에 따르면, 울 니트 의류를 생산하는 데는 똑같은 옷을 면으로 만들 때보다 367배 이상의 토지가 필요하며, 그 넓은 토지를 개간한 상태로 계속 유지해야 한다. 코알라와 다른 토종 동물의 서식지를 그만큼 많이 빼앗는다는 뜻이다. 거의 모든 의류 소재에 저마다의 문제점이 있지만, 이것은 충격적인 비교 수치다.

···· 10. 제품의 생산, 사용, 폐기 전 과정에서 쓰이는 물의 양을 나타내는 환경 관련 지표.

애니멀프리 패션의 혁신

패션계에는 동물성 소재를 대체할 수 있는 흥미로운 방법이 무궁무진하다. 이런 소재들 중 상당수는 지구뿐만 아니라 동물과 사람을 위한다는 걸 고려할 때 윤리적으로도 올바른 선택이 될 수 있다. 아마존 숲을 개간한 땅에서 키운 소를 잡아, 인도에서 가죽을 무두질하고, '메이드 인 이탈리아' 라벨을 붙이기 위하여 유럽으로 선적해 완성되는 소가죽 지갑 대신에, 사과나 파인애플 잎, 코르크로 만든 지갑도 있다.

인조가죽은 동물가죽보다 이미 생태계에 미치는 영향이 훨씬 적지만, 지속가능한 패션 상품을 생산하는 방법에 대한 해답은 아니다. 오늘날 사용 가능한 가장 흥미로운 가죽 대체품은 선인장과 코르크, 망고로 만든 가죽이다. 데세르토 펠레Desserto Pelle는 척박한 환경에서 빗물로만 자라며 현지의 생명다양성을 지켜주는 선인장가죽을 선보인다. 염색을 거쳐 아름답고 튼튼한 벨트와 신발로 탄생하는 코르크는 나무를 베어내지도 않고, 탄소를 격리하고 있는 나무껍질이 박리되는 과정에서 그저 껍질만 벗겨내면 된다. 망고가죽은 전 세계에서 재배되어 버려지는 망고의 45퍼센트 중 일부를 활용해 멋진 가방으로 탈바꿈했다. 버섯을 활용한 가죽도 세상에 선을 보이는 중이다.

양모의 경우에도, 지속가능한 방식으로 재배되고 생산된 면이나 재활용된 면, 텐셀이나 대마 혼방 제품처럼 생분해가 가능하고 체온조절도 용이한 대체 소재가 얼마든지 있다. 심지어는 쓰레기로 가득 찬 바다에서 건져낸 재활용 플라스틱으로 만든 비니 모자도 있다. 버려진 오렌지 껍질이나 장미 꽃잎으로 만든 실크도 있고, 오리털 대신 생분해가 가능한 섬유로 인공적으로 만들어낸 에코다운은 오리털만큼이나 따뜻하고 방수 기능이 더 뛰어나다. 패션 분야에서는 식물과 혁신이 미래다. 그리고 보기에도 좋다.

모든 개인은 중요하다.
각자에겐 저마다의 역할이 있다.
모든 개인은 차이를 만들어낸다.

– 제인 구달Jane Goodall

개인을 넘어 환경주의를 확장하는 방법

우리는 모두 최대한 피해를 줄여야 할 책임이 있으며, 정의롭고 지속가능한 미래를 향한 이 거대한 지구의 변화에 각자 역할을 맡아야 한다. 그러나 좀 더 정의롭고 윤리적이며 지속가능한 세상을 위한 운동은 우리가 살아가는 현세를 넘어서도 계속 이어져야 한다. 개개인이 모여 집단을 이루고, 우리가 함께 해야만 영속적이고 효과적인 변화를 만들어낼 수 있다. 더 나은 세상을 만들기 위해 함께 힘을 모으고 서로 뒷받침해주지 못하면, 그런 세상은 불가능하다.

우리 자신과 우리의 행동을 벗어나 바깥에서 생각해보아야 한다. 우리 주변엔 접근성 부족이나 장애, 또는 그 밖에 여러 이유로 비건 채식을 실천하기 어려운 사람이 많다. 이런 사람을 핑계로 삼아 자신도 변화를 꺼리는 경우도 흔하다. 그러지 말고 접근성 문제를 극복해야 할 방해물이자 제거해야 할 장벽으로 바라보아야 한다. 지속가능한 먹거리 체계와 지속가능한 세상은 대중이 널리 이용할 수 있어야만 이루어질 수 있다.

저널리스트이자 활동가인 조지 몬비엇George Monbiot은

BBC 프로그램의 패널로 출연해, 지속가능성을 설명하며 이 강력한 문제점을 아주 명확하게 지적했다.

> 우리가 해야 할 일은 거대하고, 구조적이고, 정치적이고, 경제적인 문제다. 그동안 우리가 들어온 잔소리는 면봉을 바꾸라는 따위였지만, 그런 한심하고 미시적인 소비주의적 발상으로는 아무것도 이루지 못한다. 하지만 당신이 소비자로서 당장 변화를 이끌 수 있는 행동이 한두 가지 있다. 우선 한 가지는 식물성 식단으로 바꾸는 것이다. 축산업은 환경에 막대한 영향을 미치기 때문이다. 또 하나는 비행기를 타지 않는 것이다. 하지만 그것 말고도 우리가 실제로 해야 할 일은 이 모든 시스템을 뒤바꾸는 것이다. 끊임없이 성장하는 지구를 먹어치우는 현재의 시스템을 전복시켜야 한다.

이 메시지는 입소문을 타며 널리 알려졌는데, 충격적일 수도 있지만 그 안엔 엄청난 진실이 담겨 있다. 비닐봉지 대신 에코백을 사용하거나, 천연가죽이 아닌 신발을 사는 것과 같은 작은 변화도 중요하고 분명 차이를 만들어내지만, 그런 행동은 해결책의 일부에 불과하다.

플라스틱과 가죽을 끊임없이 다량으로 생산하며 근본적인 문제를 일으키는 시스템 자체를 해결하지 않는다면, 그런 작은 행동만으로는 충분하지 못하다. 유축농업을 지탱하는 시스템을 해체하고 그로 인한 토지 황폐화, 삼림 벌채, 온실가스 배출 문제를 해결하지 않는다면, 그 시스템은 계속해서 존재하며 세상을 파괴할 것이다. 현재의 시스템은 계속해서 관계를 유지하며 수익을 창출할 방법을 찾아낼 것이다. 햄버거를 대체할 수 있는 비건 햄버거도 필요하지만, 우리에겐 그것보다 훨씬, 훨씬 더 많은 것이 필요하다.

농업 보조금

우리 모두가 파괴적인 대형 축산업단지에 대한 지원을 중단한다면 그런 산업이 무슨 수로 계속 존재할 수 있을까? 좋은 의문이다. 어떻게든 그들이 계속 존재할 거라는 주장은 수요와 공급이라는 기본 원칙에 어긋나기 때문이다. 그러나 바로 여기에서 문제가 발생한다. 공급과 수요는 많은 경우 조작된다.

국민의 세금으로 마련하는 축산업 지원 보조금은 미국,

영국, 유럽연합 전 국가, 캐나다, 호주 등에서 운영된다. 이러한 보조금이 존재하는 이유는 축산업 관련 법안과 예산 확보를 위하여 정치자금을 대고 정치인들과 거래하는 막강한 업계 로비스트들 때문이다. 그렇다면 이 모든 것의 실제 의미는 무엇일까?

나는 공장식 축산과 가축 도살뿐만 아니라 이들이 일으키는 엄청난 환경위기에 격렬하게 반대하는 입장이지만, 세금을 내는 순간 그들에게 자금을 지원하는 셈이다. 수년간 동물성 제품을 구매하지 않았지만 내가 낸 세금은 그들의 주식을 사들인다. 당신이 낸 세금도 마찬가지다.

호주에서는 정부가 나서서 축산업 연구와 개발 비용으로 어마어마한 예산을 쏟아부으며, 심지어는 마케팅도 지원한다. 예를 들어 '호주 육류와 가축Meat and Livestock Australia'이라는 단체는 오로지 연구개발비 명목으로 호주 정부에서 약 8,000만 호주달러를 지원받았는데, 이 돈은 모두 호주 국민이 낸 세금이다.

돼지고기, 양모, 심지어는 살아 있는 가축을 수출하는 기업을 포함하여, 각 동물성 '제품'을 위한 이익 단체 연합은 똑같은 종류의 자금과 지원을 받는다.

이런 시스템은 미국도 마찬가지다. 수십 년간 축산 농장은 혹시라도 수익이 감소하면 정부가 '수익 보장 프로그램'으로 현금을 지급해주면서 산업을 보호해왔기 때문에, 사람들이 더이상 사회에서 원치 않는 산업을 자연적으로 도태시키는 수요 공급 원칙을 무효로 만든다. 우유를 마시는 사람이 줄어들더라도 상관이 없다. 축산 농장에선 계속해서 송아지를 도축하고, 암소의 젖을 짜 하수구에 쏟아버린 뒤(굶주린 사람들에게 우유를 보내는 것보다 비용이 덜 들기 때문이다) 돈을 받는다.

이와 유사하게 동물을 도축하여 지구에 해악을 끼치는 산업을 국민의 세금으로 지원해주는 프로그램은 유럽 전역에 만연하고 있으며, 그린피스의 조사를 보면 사료보다 훨씬 더 많은 채소와 과일, 씨앗, 시리얼용 곡물이 생산되고 있음에도 전체 농업 보조금 중 거의 5분의 1이 축산업으로 지원된다. 캐나다의 경우, 정부 데이터에 따르면 전체 농업 보조금의 11퍼센트가 채소와 곡물 재배 농사에 지원될 뿐이고, 무려 72퍼센트가 고스란히 낙농산업에 흘러들어가며, 17퍼센트는 나머지 가축 도살 시스템에 지원된다.

이런 시스템을 바로잡고 축산업의 현 상태를 유지하는 데 쓰이는 보조금 문제를 해결하지 못한다면 우리는 변화를 이룰 수 없다. 이러한 보조금을 전환하여 식물 재배 농업과 우리에게 절실하게 필요한 야생으로 되돌리기 운동, 농업 운영 계획, 또는 재생에너지로 나아가는 노력에 사용할 수 있다. 이 돈은 우리 개인과 사회의 것이다. 그러므로 우리 모두에게 이로운 방향으로, 이 지구에 살아가는 우리와 모든 생명체를 보호하는 데 사용되도록 함께 힘을 모아야 한다.

채식을 기반으로 하는 변화를 위한 풀뿌리 운동

오늘날 전 세계 사람들은 유축농업이 환경에 미치는 영향력과, 그 산업을 뒷받침하는 시스템을 개선하기 위해 연대하여 행동하고 있다. 그런 사람들이 결성한 단체 가운데 '동물 저항Animal Rebellion'이라는 이름으로 활동하는 이들이 있다. 조직화되어 있기는 해도 중앙집권적 형태가 아니라 자율적인 대규모 자원봉사 운동단체인 동물 저항은 전 세계 정부에 기후 및 생태계의 비상사태를 선포하도록 촉구하기 위한 도구로 비폭력 시민 불복종 운동을 활용한다. 또한 정의롭고 지속가능한 채식 기반 시스템을 만들지 않고서는

2025년까지 순배출량 제로 상태[11]를 유지할 수도 없고 생태계 파괴를 피할 수도 없음을 인식하고 있기에, 생명다양성 손실과 온실가스 배출을 막기 위한 정부의 조치를 요구한다.

이 운동에는 누구나 동참할 수 있으며, 사람들이 비건 채식을 함으로써 개인적인 행동으로 동물 저항이 상징하는 명분과 미래에 자연스레 참여하도록 이끌고는 있지만, 우리가 살아가고 있는 망가진 시스템 안에서는 이런 행동이 모두에게 전적으로 가능하지 않다는 사실을 동물 저항도 잘 알고 있다.

정의로운 먹거리 체계를 정립하려면 방대하고 복잡하며 다면적인 규모의 변화가 필요하다. 시민 불복종 운동이든, 공개적인 지지 표명이든, 장애물 돌파나 그 밖에 어떤 다른 방법으로든 모든 이들에겐 각자의 역할이 있다. 우리에겐 환경에 대한 논의가 반드시 비건 채식으로 이루어져야 한다고 목소리를 높여줄 사람이 필요하다. 유축농업의 문제를 해결하지 않고는 이 위기를 막을 수가 없기 때문이다. 우리에겐 미디어의 관심을 끌어 중대한 메시지를 널리 퍼뜨릴

11. 온실가스나 탄소 등의 오염물질을 배출하는 만큼 제거하여 총량을 0으로 유지하는 것을 의미.

사람, 정치인들에게 책임을 물을 사람, 몸소 정치에 뛰어들 사람이 필요하다. 같은 생각을 가진 사람들이 뭉치면 세상을 더 나은 곳으로 바꿀 수 있다. 역사적으로 그런 변화를 이끄는 데는 인구의 3~5퍼센트만 있으면 된다.

ACTION

어떻게 행동하면 좋을까

친환경적인 애니멀프리 소비가 가능하게 하자

지역사회 중심의 활동은 개인적으로 가장 지속가능하고 공정한 식생활과 삶의 태도를 더 널리 퍼뜨려서, 그간 채식의 특권과 기회를 누리지 못한 사람에게도 방법을 알려주는 데 기여할 수 있는 아주 훌륭한 방법이다.

주변 사람에게 비건 채식을 실천하도록 이끄는 방법을 소개한다.

- 지역 내 무료급식소와 연계하여 영양식이 필요한 사람에게 비건 음식 제공하기
- 비건 음식 기부 행사 만들기

- 직접 또는 온라인에서 무료 요리 교실 또는 튜토리얼을 제공하여, 주요 곡물로 만든 쉽고 저렴하며 영양가 있는 요리 소개하기
- 비건 제품을 생산하는 경우, 가능한 한 저렴하고 접근하기 쉽도록 만들기
- 먹거리 생협에 참여하거나 설립하기
- 도시 정원 및 텃밭 가꾸기에 참여하기
- 채식으로 만든 영양식과 레시피를 개발해 누구나 접근할 수 있는 실질적인 정보를 제공하고 채식 재료를 쇼핑하는 습관 들이기
- 더 저렴한 채식 재료와 메뉴를 구비해놓도록 동네 식료품점과 카페, 음식점에 요구하기
- 지역 학교와 병원, 기타 공간에 더 많은 채식 먹거리 요구하기
- 지속가능한 채식 먹거리에 더 쉽게 접근할 수 있도록 이끄는 단체에 시간과 돈 기부하기
- 지방자치단체에 민원을 넣어 지역사회의 모든 주민이 채식에 더 많이 접근할 수 있도록 장려하기

PART 2

인간 구하기

• 3장
비건 채식은 인간을 직접 도울 수 있다

환경이 인간을 보호하는 기획

환경을 보호하면 인간이 보호된다는 것은 분명하다. 하나의 종으로서 인간이 미래를 누리려면 생명이 살아갈 수 있는 지구가 필요하다는 점도 확실하다. 숨 쉴 수 있는 깨끗한 공기, 우리가 생존하고 번성할 수 있는 기후, 먹거리를 재배할 수 있는 토양, 깨끗한 물. 아무래도 덜 두드러지긴 하겠지만 지극히 중요한 사실은 지구 환경에 가장 해를 덜 끼치는 사람들이 우리 인간이 만들어낸 기후위기의 영향을 가장 가혹하게 맞닥뜨리게 된다는 점이다.

서양과 소비자 중심 국가에서 살아가는 사람들이 무한한 성장과 생산, 재정적 이익을 추구하는 시스템 안에서 생활하는 동안, 주변 환경과 좀 더 조화롭게 살아가는 나라의 국민들은 인간의 습관이 낳은 기후위기의 가장 큰 폐해를 입는다. 공장식 축산, 석유 채굴, 동물을 착취한 원료로 노동력을 착취당한 사람들이 만들어낸 패스트패션 의류의 끝없는 공급, 결국 바다로 흘러들어 물고기 먹이가 되는 플라스틱. 이 모든 것은 탐욕스러울 뿐만 아니라 지구와 인간의 행복을 대가로 치러야 하는 시스템이 만들어낸 병폐다.

태평양 섬의 원주민들은 기후위기 단계 중에서도 '극심한 위험' 수준으로 위협받고 있으며, 유엔 보고서에 따르면 그들 중 일부는 10년~15년 안에 섬나라인 조국이 '물속으로 가라앉는다'고 하는데, 이 사실을 당신은 알고 있는가? 또한 아무런 조치를 취하지 않으면 2050년까지 라틴 아메리카와 사하라 사막 남쪽의 아프리카, 동남아시아에서 1억 4,300만 명에 달하는 기후 난민이 안전을 위해 모든 것을 버리고 고향을 떠나야 할 것이라고 세계은행이 예상했다는 사실은?

환경적 인종차별

호주, 미국, 영국 같은 국가의 범주 안에서도 지구가 입은 피해로 영향을 가장 많이 받는 이들은 흑인과 아메리카 원주민, 기타 유색인종이다. 이는 우연의 결과가 아니라 인종차별의 한 형태다.

코리 부커Cory Booker는 뉴저지 출신으로 최초의 아프리카계 미국 상원의원이다. 그는 인종과 환경 정의를 위해 싸우는 개혁운동가이자 비건 채식주의자다. 부커는 환경 인종차별 문제를 가장 중점적으로 살펴보고 있으며, 환경 불의를 또 다른 '흑인에 대한 공격'이라고 언급했다. 흑인에 대한 이러한 공격이 자행되는 곳 중의 하나가 바로 노스캐롤라이나인데, 미국 내 돼지 사육농장의 대다수는 흑인 거주 지역 근처에 자리 잡고 있다. 이곳에서는 배설물이 들판에 버려져 공기에서 시체 썩는 냄새가 난다고 주민들은 호소한다.

《노스캐롤라이나 의학 저널North Carolina Medical Journal》의 연구에서 알 수 있듯이, 이러한 환경오염은 "빈혈, 신장 질환, 결핵, 패혈증뿐만 아니라 주에서 가장 낮은 기대수명 등과 함께…… 더 높은 영아 사망률과 사망률 증가"의 원인이 될 가능성이 있기 때문에, 이런 곳은 살아가기에 무척 불쾌할 뿐만 아니라 위험하다.

이와 마찬가지로 가축을 향한 인간의 욕망은 수많은 동

물가죽을 무두질해야 함을 의미하며, 가죽 손질에는 대부분 크롬 같은 발암성 화학물질뿐만 아니라 비소나 포름알데히드가 사용된다. 이러한 화학물질은 인간과 동물, 지구에 모두 해롭다. 가죽 공장 노동자는 높은 비율로 암에 걸리며, 만성적인 기침과 피부질환, 기타 질병에 시달리는데 일부 공장에선 아동에게도 일을 시킨다. 또한 이런 화학물질이 하천으로 흘러들면, 그 물을 마시고 목욕을 하는 지역 주민뿐만 아니라 육지 동물과 물고기까지 해를 입는데, 화학물질의 하천 방출은 꽤나 흔한 일이다.

지구 서약 재단The Earth Pledge Foundation에 따르면 미국 기업들은 환경 감시 벌금을 피하기 위하여 가죽 손질 공장의 95퍼센트를 외국으로 이전한 것으로 나타났다. 오늘날 가죽을 가장 많이 무두질하는 국가는 중국과 인도인데, 대부분의 가죽은 미국과 유럽, 호주 같은 소비주의 국가로 수출된다. 가죽 무두질 산업 1위 국가인 중국의 일부 지역은 무두질과 기타 산업 활동의 영향 탓에 '암 마을'로 불린다. 매일 22,000세제곱미터, 혹은 2,200만 리터의 처리되지 않은 폐수가 주요 무두질 국가인 인도의 국토를 거쳐 갠지스강으로 흘러들어간다.

그들이 백인이라면 이런 일들은 용납되지 않았을 것이다.

"감정적으로 죽어간다."

– 어느 도축장 노동자가 너무도 폭력적이고 고통스러운 자신의 직업에 대해 토로한 말, 예일 글로벌 헬스 리뷰Yale Global Health Review에 실린 인용문

원주민의 토지권과 주권, 그리고 유축농업

공장식 축산과 집약적인 유축농업은 식민지 시대 이전에는 존재하지 않았던 백인들의 발명품이다. 그 말은 곧 아마존을 잠식하고 있는 집약적인 소 축산 목장이 오늘날 아마존 열대우림의 수호자인 와이아피 부족 소유의 땅에서도 벌어지고 있다는 뜻이다. '패션 레볼루션Fashion Revolution'에 따르면 대기업들은 종종 강제 노동으로 훔친 땅에서 난 소고기와 가죽을 팔아 수십억 달러를 벌어들인다. 브루스 파스코Bruce Pascoe가 쓴《다크 에뮤Dark Emu》를 보면, 17세기 식민주의자들이 이른바 호주 땅이라고 부르며 훔친 토지에 양을 도입하면서 토양과 식용 식물에 심각한 영향을 미

쳤다는 사실이 드러난다. 오늘날 호주의 토지 대부분은 농장 가축을 방목하는 용도로 묶여 있다. 호주의 모든 토지는 결코 주권을 양도한 적이 없는 원주민들에게서 훔친 것이다. 이 땅에 살던 토종 식물은 개간으로 사라졌고 토종 동물과 멸종위기 동물들은 집을 잃었으며, 원주민들도 백인이나 발굽 동물들이 이곳으로 오기 훨씬 전부터 선조들이 공존해 온 땅에서 자유롭게 살지 못한다고 한탄한다.

도축 노동은 주로 취약한 사람들이 도맡는다

도살장에서 일하고 싶어 하는 사람은 아무도 없다. 자라면서 생계 수단으로 살육을 꿈꾸는 사람도 없다. 이 점을 잠시만 생각해보면, 취약하고 소외된 사람들이 나머지 우리를 위해 이런 더러운 일을 하도록 강요당한다는 게 어쩌면 그리 놀랍지 않을 것이다.

영국육류산업The British Meat Industry 발표에 따르면 영국 도축장 근로자 중 62퍼센트 이상이 이민자다. 미국에서도 이런 노동자 중 상당수가 이민자이거나 난민, 억압받는 흑인, 원주민, 유색인종이다. 종종 불법 이민자인 이들은 강제

추방에 대한 두려움 때문에 스스로를 위해 당당히 나서지 못한다.

호주의 정부 보고서를 보아도 도축장에서 일하는 이민자와 난민은 비영어권 국가 출신이거나 교육 수준이 낮은 경우가 많다. 캐나다육류협회Canadian Meat Council는 도축장에서 일하고자 하는 난민에게는 누구든 가리지 않고 '신속 입국'을 허가했다.

이런 노동자들에게 그토록 폭력적이지 않은 다른 직업을 찾으라고 요구하는 사람도 있다. 그렇게 말하기는 쉽다. 그러나 이런 사람들에게 다른 일자리와 정의와 지원을 제공하는 것은 더 어려운 일이다. 우리는 소비 활동과 지원과 직접적인 행동으로 이들에게 변화를 선사할 수 있다. 도축장에서 일하는 사람들에게 다른 일자리를 제공하는 것이 왜 그토록 중요할까? 같이 살펴보자.

도축 노동과 신체적 위험

살육과 참수, 내장 제거가 일상적으로 일어나는 곳에서 일을 한다는 것은 당연히 위험하다. 비영리 단체인 탐사 저

널리즘 사무국The Bureau of Investigative Journalism이 입수한 자료에 따르면, 영국에서는 매주 평균 두 명의 도축장 노동자가 부상을 당한다. 6년간의 기록을 살펴보면, 총 800명의 근로자가 심각한 부상을 입었고, 78명은 신체를 절단해야 했으며, 4명은 사망했다. 영국산업안전보건청은 이 문제를 도축산업의 가장 큰 문제점으로 꼽았다. 호주에서도 매주 두 건의 사지 절단 수술이 필요한 상황이며, 미국에서는 전체 도축장 노동자의 4분의 1이 병들었거나 한 번 이상 부상을 입은 적이 있다. 국제인권단체인 휴먼라이츠워치Human Rights Watch는 도축업 노동을 미국에서 가장 위험한 직업으로 선정했다.

물론 인간이 아닌 동물의 죽음에 비하면 훨씬 덜 흔하긴 해도, 도축장에서 인간이 죽는 일은 드물지 않다. 날카롭고 위험한 무기를 휘두르는 위험이 상존하는 곳임에도, 도축 과정은 이윤을 위해 끊임없이 더 빠르게 돌아가도록 설계된다. 미국동물학대방지협회American Society for the Prevention of Cruelty to Animals, ASPCA는 이 때문에 가축을 잠시 기절시킨 후 의식이 남아 있는 상태에서 도살할 가능성이 더 높아진다고 지적한다.

안타깝게도 도축장에서 일하는 사람들의 사망 소식을 듣는 일은 드물지 않다. 그 누구도 일터에서 안전하지 못한 환경에 놓이거나 죽음을 당해서는 안 된다.

미국과 호주, 독일, 브라질 전역에서 도축장 노동자를 위험으로 몰아넣는 요인은 부상뿐이 아니라는 사실을 코로나19 팬데믹 사태가 일깨워주었다. 도축장은 코로나바이러스의 주요 집단 감염처였고, 유독 그곳 노동자에게 편중된 전염이 발생했다. 이것은 주로 고속으로 진행되는 도축 라인과 어깨를 서로 맞대고 나란히 일하는 환경 탓이었다. 또한 2019년에 나온 어느 기사가 지적했듯이, 기업들이 '노동자를 고깃덩어리처럼 취급'하며 도축장을 경영하기 때문이었다.

도축장 노동자의 열악한 처우

누군가를 고깃덩이처럼 취급한다는 것은 그들을 인간으로 대접하지 않고 대상화하며, 그들에게 생각이나 감정이 없는 것처럼 대한다는 뜻이다. 아마도 도축업계에서 노동자를 흔히 혹사하는 이유는 동물의 사체와 생명을 소중히 여기지 않으면서, 인간의 생명을 포함한 모든 생명의 가치 상실을 평범하게 여기기 때문일 것이다.

옥스팜 보고서에 따르면, 미국 전역의 도축장 노동자는 화장실에 갈 시간조차 제한되어 기저귀를 착용하는 경우도 있다. 이런 건 사람 대접이 아니다.

상황은 더욱 심각해지고 있다. '최고의 다문화주의'라는 허울 좋은 거짓 포장을 하지만, 호주 도축장에서 일하는 이민자와 난민은 저임금에 시달리며, 부적절하고 비좁은 임대 시설에 수용되어 있는 것으로 드러났다.

당신은 개인적으로
당신이 자라난 사회보다
더 윤리적인 사람이 되어야 할 책임이 있다.

– 엘라이저 유드코프스키Eliezer Yudkowsky

도살장 노동의 정신적 영향

다음 내용은 고통스러울 수 있으며 심각한 정신 건강 문제와 자살 충동을 일으킬 수 있으므로 주의 바랍니다. 이런 문제가 당신을 괴롭힌다면 도움을 받을 곳이 있음을 기억하세요.

대부분의 사람은 외상 후 스트레스 장애Post-Traumatic Stress Disorder, PTSD에 대해 들어보았을 것이다. 이것은 트라우마가 될 만한 사건을 목격했거나 경험한 사람을 괴롭히는 심각한 정신 질환이다. 그러나 가해로 인한 스트레스 장애Perpetration-Induced Stress Disorder, PITS에 대해 들어본 사람은 별로 없을 것이다. 예일 글로벌 헬스 리뷰에 따르면, PSTD와 비슷한 상황이면서도 이 질환의 근본적인 차이점은 트라우마가 스스로 겪은 경험에서 비롯되는 것이 아니라, '다른 대상에게 트라우마를 일으킨 직접적인 원인'이 되었다는 사실에서 비롯된다.

PITS의 증상은 "약물 및 알코올 남용, 불안, 공황, 우울증, 늘어난 편집증, 의식 분열, 해리 또는 기억 상실 등을 포함하여 PTSD의 증상과 유사하며, 살육이라는 행위가 낳은 '심리적인 결과'로 모든 증상이 통합된다." 군인과 도축장 노동자는 모두 파괴적인 PITS의 영향에 시달린다.

개를 죽이게 되었다고 상상해보라. 애원하는 개의 눈을 들여다보면서도 어쨌거나 머리에 총을 쏘아야 한다. 그러고는 피를 흘리는 개의 목을 베어야 한다. 이런 경험이 얼마나 끔찍할지 상상해보라. 그 동물이 개가 아니라 돼지나 소고,

당신이 그런 짓을 벌이기 전에 돼지와 소가 당신을 올려다 보았다고 상상해보라. 공포감은 사라지지 않을 것이다.

도살의 정신적 충격은 안타깝게도 자살에 대한 생각이나 실천으로 이어질 수 있다. 도축장에서 지내는 생활에 대한 비참한 사연이 BBC에서 방영되었는데, 그곳의 노동자는 “장시간의 노동과 휴식 없는 작업, 죽음에 둘러싸여 있는 근무환경 때문에 나는 개인적으로 우울증을 앓았다. 얼마 지나자 자살 충동을 느꼈다”고 고백했다. 이 사람은 “6개월 뒤엔 여기 없을 것 같다”는 농담을 자주 하던 동료가 어느 날 무너져내려 눈물을 흘리며 자살 충동을 토로했다는 이야기도 전한다. 우울증에 시달리던 이 도축장 노동자는 그 동료가 자살했다는 소식을 들은 뒤 더는 견디지 못하고 몇 달 후 결국 직장을 떠났다.

도축이 인간 공동체에 미치는 영향

끓어 넘치는 주전자처럼 동물에게 가해지는 해악은 그 원인을 제공한 인간에게도 해가 되고, 그 인간들이 살고 있는 공동체에도 해를 입힌다. 다시 말해, 도축장 주변 지역에서 살아가려면 심각한 위험을 마주해야 한다. 《조직과 환경Organization and Environment》에 발표된 논문에 따르면, 미국 전역에 걸쳐 500개 지역을 확인한 결과 도축장 주변에 사는 주민은 성폭행과 강간을 포함하여, 이례적으로 높은 비율로 폭력 범죄에 노출되어 있다. 동물을 향한 폭력적 행동으로 돈을 버는 직업에 관한 이 연구는 도축장 노동자가 인간 사회에 벌이는 폭력에 대해서 노동자의 '정신상태가 흘러넘친 것'이라고 지적한다. 폭력은 폭력일 따름이며, 이 직업은 우리보다 '못하다'고 여겨지지만 우리 인간과 다를 것 없는 동물의 자율성과 호응, 안전에 대해서는 조금도 존중하지 않는다.

산업 현장에 잠입해 동물 학대 여부를 조사하는 수사관인 리치 하디Rich Hardy와 이야기를 나눈 적이 있다. 그는 끊임없이 동물에 대한 폭력을 직면하고 그런 환경에 둘러싸이는 자신의 일을 설명하며, "아주 오랜 시간 그런 폭력에 노출되면 누구나 잔혹함과 불의에 무감해질 수 있다"는 사실을 깨달았다고 말했다. 도축장 노동자가 자신이 속해 있는 지역 주민에게 저지르는 끔찍한 폭력과 범죄 행위는 결코 그들이 트라우마에 시달린다는 사실로 변명을 삼거나 정당화될 수 없다. 그러나 문제를 해결하려는 희망을 품고 싶다면 문제의 뿌리부터 이해하는 것이 중요하다. 문제의 뿌리는 일상화되고 산업화된 폭력이다.

농장의 가축들 : 정신적 영향

동물성 식품과 패션을 제공하는 공급망을 한 단계 더 거슬러 올라가면 농부들과 만나게 된다. 도축장 노동자들은 자신이 죽이는 동물이 그간 어떤 삶을 살았는지 알 방법이 없는 것과 달리, 농부들은 종종 기르는 가축에게 유대감을 느낀다. 결국 생계를 위해 죽여야 한다는 걸 알면서 동물과 유대감을 느낀다는 것은 견디기 쉬운 일이 아니다.

수상 경력에 빛나는 단편 영화 〈73마리의 소73 Cows〉에서 제이와 그의 아내 카챠를 만날 수 있다. 두 사람은 사람들이 먹고 입기 위해 죽임을 당하는 소를 사육하는 농부다. 이 영화는 제이와 카챠가 비건 소사이어티의 도움을 받아, 차마 죽일 수 없어 남겨진 소 73마리를 위해 영원한 보금자리를 제공하며 비건 유기농 농장으로 전환하는 노력을 다큐멘터리로 담아낸다.

제이는 마음이 약한 남자다. 인터뷰에서 그는 20년 넘게 '알고 보살펴온' 동물들을 도살장으로 보내는 걸 중단하기 전에도 이미 동물을 잡아먹는 걸 관뒀다고 털어놓는다. 그는 아버지한테 물려받은 일에서 덫에 걸린 듯 느껴지던 압박감을 다음과 같이 설명한다.

"'앞으로 무슨 일이 벌어질지 소들이 알고 있을까?'라는 생각을 털어낼 수가 없으면서, 나를 믿고 있는 소들을 배신하리라는 걸 녀석들도 알고 있을지 궁금해지더군요." 제이는 가축들에게 '더러운 속임수를 저지르는 범죄자' 같은 느낌을 받으며 소들을 도축장에 보내려고 마음을 다잡아야 했다고 토로한다. 영화의 후반부가 가까워지면서, 안식처에서 자유롭게 풀을 뜯고 있는 소떼와 미소 짓고 있는 제이를 비추는 아름다운 장면에서 카챠는 도축을 위한 짐승을 키우던 일을 관두고 벌어진 변화가 자신이 사랑하는 남자에게 어떤 영향을 미쳤는지 설명한다. "가장 큰 변화는 남편이 말을 더 많이 한다는 점이에요……. 그냥 그게 그렇게 보기 좋네요."

그것은 영혼을 파괴하는 일이다

– 전직 축산 농부, 제이 와일드Jay Wilde

PERSPECTIVE

관점의 전환이 필요해

도축장에서 일했던 사람들

예전에 도축장 직원으로 일한 사람 몇 명과 이야기를 나눈 적이 있다. 처음 만난 사람은 시위 때 내게 다가와, 자신은 악몽 때문에 결국 일을 그만두었다고 말했다. 그는 초조한 상태로 겁에 질려 있었다. 그는 활동가들이 도축장에서 벌어지는 일반적인 과정을 담아 보여주는 스크린을 가리키며, 자신도 '저런 일을 했고' 매일 밤 잠이 들면 공포로 울부짖으며 살려달라고 몸부림치는 동물들을 한 마리 한 마리 차례차례 죽이는 장면을 꿈속에서도 보아야 했다고 말했다. 그의 작업 시간과 악몽에 시달리는 시간의 유일한 차이점은 악몽 속에서 그가 죽인 동물들이 인간 아기처럼 울

부짖었다는 것뿐이었다.

나는 도축장 노동자 크레이그와도 이야기를 나누었다. 크레이그는 피가 흥건한 바닥을 닦다가 방금 자신이 생명을 빼앗은 동물의 목에서 피가 솟구쳐 나오는 것을 느꼈다고 설명했다. 그러나 그가 목소리를 높인 이유는 그가 목격한 동물에 대한 구타나 그를 마주보는 생기 잃은 눈동자뿐만이 아니라 도축장 내 만연한 문화 때문이었다.

크레이그는 도축장 내에 약물을 사용하는 사람이 많다고 말했다. 그와 주변 사람들 대부분은 트라우마와 육체적 고통, 피로에 대처하기 위해 약물을 사용했다. 도축 작업장에서 일하는 여성은 누구나 성희롱을 당했으며, 죽어가는 동물을 염려하는 감정을 표현하는 것은 수치로 여겨졌다. 그가 도축장에서 가깝게 지낸 사람 중 몇몇은 폭력을 피해 도망쳐 온 난민인데, 결국엔 또 매일 피로 뒤덮여 지내야 했다. 크레이그는 도축장에서 일을 하지 않는 지금 얼마나 마음이 더 편해졌는지 나에게 설명했다. 모든 사람이 함께 나아갈 수 있는 길은 있으며, 탈출하고 싶은 사람이 있다면 우리가 도움의 손길을 뻗어야 한다.

유해한 남성성Toxic Masculinity과 육류(와 가죽, 유제품, 달걀 등)

제이는 돌보던 소들을 트럭에 태워 다시는 돌아오지 못할 곳으로 보내면서 마음을 단단히 다잡았다. 크레이그는 처음 동물을 죽였을 때 얼마나 큰 트라우마를 겪었는지 도축장에서 계속 입을 다물었다. 그랬다간 연장자들에게 '찍혀서 괴롭힘을 당하게 될 것'임을 알았기 때문이다.

'100퍼센트 순도의 남자, 100퍼센트 순 쇠고기' 같은 광고 문구는 육식을 하지 않으면 진짜 남자가 될 수 없다는 사실을 암시한다. 사냥을 하거나 동물을 쏘아죽일 수 없다면, '남자 자격'을 반납해야 한다고 생각하는 사람도 있다.

대체 무슨 영문일까? 무엇을 먹는지가 왜 그 사람의 젠더나 표현과 연관되는 것일까? 이것이 바로 유해한 남성성이 벌이는 일이다.

남성이라는 것에는 분명 아무런 잘못이 없으며 남성성에도 아무런 문제가 없지만, 남성성에 대한 가부장적인 개념은 유해하게 왜곡되어 여러 문제를 일으킨다. 나약함과 온화함, 감정 표현을 그들은 수치로 여긴다. 오늘날에는 지배하고, 권력을 휘두르고, 그래서 폭력을 저지르는 능력을 남성성과 연결하는 남자가 너무 많다. 페미니즘과 비건 채식주의가 서로 얽히기 시작하는 지점도 이 부분이다.

EXPLAINER

친절한 설명

페미니즘과 비건 채식주의가 무슨 상관이 있을까?

캐럴 J. 애덤스Carol J. Adams는 1990년에 《육식의 성 정치학The Sexual Politics of Meat》을 썼는데, 이 책에 담긴 메시지는 오늘날에도 여전히 논의되어야 한다. 애덤스는 고기가 소비되는 과정에서 동물은 '부재하는 대상'이라고 묘사한다. 우리가 동물 자체를 계속해서 외면함으로써 동물이나 동물의 고기는 은유적인 의미를 갖게 되었다.

여성은 젠더를 기반으로 하는 위기에 직면해 있으며, 그런 폭력 관계 속에서 여성은 다른 사람도 아닌 남성 파트너에게 살해 및 강간, 성폭행, 고문, 스토킹을 당할 가능성이 높다. 그 결과 여성은 때때로 스스로를 '고기 조각처럼' 느낀다고 표현한다. 우리가 여성을 '고기'에 비유하는 이유는 도축된 가축의 사체가 가장 참혹한 수준의 생존권 박탈과 대상화된 형태이기 때문이다. 물론 여성이 '단순히' 고깃덩어리가 아니듯이 고기 자체도 그저 고기가 아니다. 고기는 동물의 살이자 사체이며 몸이다. 곧 '고기'는 동물이다.

특히 유제품과 달걀 산업에서 우리는 암컷 동물을 생식기 착취를 위한 대상으로 취급한다. 젖소는 강제로 임신을 시킨 뒤 새끼 대신 우유를 소비하기 위해 송아지를 떼어내는데, 이 과정은 젖소가 도살될 때까지 반복된다. 달걀을 낳는 암탉은 지속적이고 부자연스러운 산란주기 탓에 늘 지쳐 살다가, 결국 난소가 쓸모없다고 여겨지는 시기가 오면 역시나 도살된다. 우리는 이 암컷 동물들의 자율성을 거부하며, 그들의 호응을 구하려 하지 않고 스스로 자유를 찾으려는 시도를 무시한다.

그 누구도 소모품이 아니며, 그 누구도 물건이 아니다. 우리가 누군가를 그렇게 본다면 그건 타인을 대상화하는 가파른 비탈길을 향해 가고 있다는 뜻이다.

극우파가 콩에 집착하는 이유

극우 정치인들은 유해한 남성성을 도구로 사용하며, 좀 더 진보적인 사람들, 곧 좌파가 남성성을 파괴하려 한다고 주장한다. 드레스를 입고 《보그》 표지에 등장한 해리 스타일스Harry Styles에 대해서는 심지어 세상이 계속해서 돌아가도록 유지해주는 전통적인 가치에 대한 '노골적인 공격'이라고 비난하기도 했다.(어쨌거나 스타일스의 모습은 멋졌다.) 유약한 남성을 콩에 빗대어 부르는 멸칭 '소이 보이Soy Boy'는 우파 집단에서 점점 더 많이 사용하는데, 그 이유는 두유를 마시는 남자는 폭력적인 유제품 산업이나 환경 파괴를 지지하지 않으므로 여성스럽다고 폄하되기 때문이다. 그리고 그들에게 여성성은 분명 나쁜 것이다.

'그들이 당신의 햄버거를 빼앗으려 한다'는 주장은 전 백악관 보좌관인 서배스천 고르카Sebastian Gorka가 그린뉴딜Green New Deal 정책을 비난하며 한 말이다. 환경 문제와 건강을 이유로 카멀라 해리스가 붉은 고기 섭취량을 줄이도록 미국인의 식단 지침을 바꾸겠다고 발표했을 때, 마이크 펜스는 해리스의 주장을 반박하며 해리스 대신에 자신이

'붉은 고기를 더' 먹겠다고 응답했다.

육류에 대한 이런 집착은 남성성과 우월성, 지배욕, 폭력성에 대한 집착이며, 그런 집착은 인간을 대상으로도 평범하게 자행된다.

EXPLAINER

친절한 설명

계급 문제와 동물 소비

부유한 보수주의자들은 오랫동안 육류를 즐겨왔다. 19세기 낭만주의 시대에는 점점 더 많은 사람이 동물에서 유래하거나 동물로 만든 음식을 먹지 않기 시작했다. 이는 단지 지구상의 다른 종에 대한 우려 때문만이 아니라 계급의식이 높아졌기 때문이다. 채식주의Vegetarianism의 이론적 배경(채식주의는 우리가 현재 비건 채식주의Veganism라고 부르는 활동에 대한 당시 용어다)과 동물 해방 운동은 사람들이 유축농업의 비효율성을 이해하게 되면서 다른 사회 정의 운동과 두드러지게 점점 더 맞물리기 시작했다. 바로 이 시기에 동물 학대 폐지론자이자 작가인 토머스 데이Thomas Day는 동물을 먹는 것을 '죄의식과 관련된 관능을 만족시키기 위한' 수단으로 규정했다. 육식에 대한 시각이 달라진 사람들의 움직임도 점점 커지며, 다른 사람을 착취하여 주기적으로 고기를 먹을 여유가 되는 부유층의 탐욕스러운 악습이라고 여겨졌다.

일리 있는 말이다. 다들 알다시피 식물성 식품은 동물성 식품보다 필요한 토지가 더 적기 때문에, 인간이 직접 소비하는 식물을 재배할 수 있는 토지를 (이 모든 과정을 엇나가게 하는 현재와 같은 보조금 없이도) 굳이 더 높은 비용을 들여서 소수의 사람들만 즐길 수 있는 먹거리를 생산하고 공급하는 데 낭비한다는 것은 계급주의다.

지배 계급과 특권을 가진 사람의 동물 소비는 한때 억압과 소비주의의 상징으로 여겨졌다. 여전히 그렇게 보아야 마땅하다. 오늘날에도 수많은 사람이 굶주리는데 공장식 축산 농장에는 사료가 넘쳐나고 종종 그 사료는 가축을 먹이기 위하여 비행기로 수송된다. 이런 동물들은 살코기를 먹을 여유가 되는 사람의 식탁에 오르기 위해 살을 찌운다. 현재 우리 시스템에는 무언가 대단히 잘못되고 대단히 부당한 부분이 존재한다.

오늘날에도

8억 2,000만 명에 달하는 사람이

충분한 식량을 확보하지 못한다.

— 세계보건기구WHO

우리는 매년

700억 마리 이상의 가축에게

사료를 먹인다.

— 유엔 식량농업기구FAO

• 4장

비건 채식이 인간을 돕는 방법

진화와 고기

'원시인도 고기를 먹었는데 왜 나는 먹으면 안 되지?'라는 주장을 모두 들어보았을 것이다. 나로서는 여러 가지 이유로 흔히 '원시시대'라고 부르는 시기에 살지 않는다는 사실이 무척 다행스럽지만, 어쨌거나 비건 채식에 반대하는 사람은 우리가 야생 짐승을 죽이고 먹고 옷으로 입었던 원시시대의 재현을 무척 바라는 듯하다. 원시인은 현재 우리가 더는 옳다고 여기지 않는 일들을 수없이 행동에 옮겼다.

오늘날 우리는 과거에 하지 않은 수많은 행동을 한다. 지퍼가 달린 옷을 입고, 컴퓨터를 사용하며, 매트리스를 이용하고, 음악과 영화를 스트리밍하고, 버튼 하나만 누르면 지구 반대편에 있는 사람과 대화를 할 수 있다. 지구상에서 맨 처음 '인류'가 된 이후 우리는 엄청난 변화를 겪었지만, 지금 우리가 하는 일이나 과거에 한 행동이 미래의 우리 행동에 영향을 미쳐서는 안 된다.

아무튼 고고학적인 발견에 따르면 선사시대 인간은 실제로 대부분 채식을 했다. 그들이 고기도 먹었다는 사실을 부인하지는 않지만, 육식은 매 끼니의 중심이 아니었다. 사람들은 종종 과거 인류의 조상이 대부분 고기를 먹었다고 생각할 뿐만 아니라 육식 덕분에 인류가 똑똑해졌다고 여긴다. 그러나 이 주장에는 논리적인 근거가 별로 없다.

유발 노아 하라리Yuval Noah Harari의 《사피엔스Sapiens》를 비롯하여 수많은 연구에 따르면, 인류의 두뇌 발달을 도운 것은 불을 조절하고 요리를 하는 능력이었을 가능성이 훨씬 더 높다. 수십만 년 전 인류가 이 기술을 개발하면서, 인류의 먹거리는 갑자기 훨씬 더 다양해졌다. 밀, 쌀, 감자는 불을 사용하기 전까지만 해도 모두 먹을 수 없는 음식이었다. 그런데 이런 먹거리들이 돌연 주식이 되어 여전히 이어지고 있다.

침팬지는 날 음식을 씹는 데 하루 최대 7시간을 소비하는 데 반해 인간은 익힌 음식을 먹는 데 하루 한 시간이면 족하다. 녹말이 많은 식물이든 과일이나 채소든, 고기 조각이든 상관없이 익힌 음식은 씹기에도 더 쉽고 부드러워서 소화도 더 잘된다. 씹는 과정이 더 쉬워지자 세월이 지나며 인간의 치아는 더 작아졌고, 내장을 통과하는 소화 과정도 더 빨라지면서 장기 역시 더 짧아졌다. 궁극적으로 소화를 통해 몸에 열량을 공급하고 생존하는 데 필요한 에너지가 적어지면서, 생각하고 두뇌를 개발하는 데 더 많은 에너지를 쓰게 되었다는 의미다.

시간이 지나면서 우리는 발전을 거듭해왔는데, 종종 우리는 그 이유를 설명할 과학적인 근거를 제시하지 못한다. 하지만 우리가 확실히 아는 것은 깨달음의 시대가 식생활 변화와 아무런 관련이 없다는 점이다.

근본적으로 걱정할 필요는 없다. 비건 채식주의자라고 해도 여전히 당신은 천재가 될 수 있다.

암과 동물성 식품

암은 가축 공장 노동자와 공장식 축산 농장 근처에 사는 사람의 건강만 위협하는 것이 아니라, 동물을 먹는 사람도 병들게 할 수 있다. 자신들의 주장을 뒷받침하는 데이터도 없이 육류 산업계는 비건 채식용 대체 고기가 자연을 거스르는 식품이며 우리 건강에도 나쁘다고 계속해서 주장하지만, WHO는 다양한 종류의 동물성 식품을 발암 물질이나 발암 가능성이 있는 물질로 분류했다.

다음 표는 어떤 종류의 동물성 식품이 발암 물질로 분류되었는지 대략적으로 보여준다.

그룹	분류 기준	동물성 식품	그룹 내 다른 물질
1등급 : 인체 발암 물질	인간에게 암을 유발하는 원인으로서 충분하고 확실한 근거가 있음.	보존제를 사용했거나 훈연, 염장된 육류를 포함한 모든 가공육. 소시지, 햄, 소금에 절인 쇠고기, 소금에 절인 생선, 육포, 육류 기반 조리식품 및 소스.	가죽 먼지, 중성자 방사선, 플루토늄, 담배, 석면.
2등급 A : 인체 발암 추정 물질	해당 물질에 대한 노출과 암 사이에 명확한 관련성이 관찰됨. 관찰 결과에 대한 다른 설명(기술적인 용어로는 이를 우연, 편향, 교란이라고 함)을 배제할 수는 없음.	모든 포유류의 살코기를 포함한 붉은 고기. 이런 상품은 쇠고기, 양고기, 송아지고기, 돼지고기 등으로 분류됨. 염소, 캥거루, 물소 등 기타 포유류의 고기도 포함됨.	메틸 메탄설포네이트, 글리포세이트(제초제), 무기 납 화합물, 하이드라진. 이들은 필연적으로 인체에 암을 일으키는 물질이라고 할 수는 없지만 모두 암의 원인이 될 가능성이 높음.

이렇듯 동물의 살코기를 먹어서 생기는 암의 종류는 다양하다. 포유류를 먹는 것은 대장암이나 위암, 췌장암, 전립선암의 원인이 될 수 있다.

존스 홉킨스 의대에서는 췌장암 진단 이후 5년 생존율이 5~10퍼센트에 불과하다고 설명한다. 미국임상종양학회The American Society of Clinical Oncology의 보고에 따르면 위암의 5년 생존율은 63퍼센트에 달하지만, 전이되기 전에 발견되는 경우 생존율은 좀 더 희망적인 수치인 90퍼센트까지 올라간다. 다행스럽게도 국소 전립선암의 5년 생존율은 거의 100퍼센트인데, 간혹 그런 일이 있듯이 일찍 발견되지 못하는 경우엔 생존율이 31퍼센트에 불과하다. 가공육은 대장암의 원인으로 알려져 있으며, 위암과도 밀접한 연관성이 있다.

그렇다면 고기와 암의 연관성은 얼마나 심각할까? 고기를 얼마나 먹어야 인체에 영향을 미칠까? WHO는 "10개의 연구 데이터를 분석한 결과 매일 50그램의 가공육을 섭취하는 경우 위암에 걸릴 위험이 약 18퍼센트 증가한다"고 말한다.

그뿐만이 아니다. 〈식단과 유방암의 위험 : 두 집단 연구Dietary Patterns and Breast Cancer Risk: A Study in 2 Cohorts〉라는 논문에서 언급했듯이 채식만 고수하는 경우 유방암을 예방할 수 있다는 증거가 점점 많아지고 있다. 흥미롭게도 채식은 암의 위험을 줄일 뿐만 아니라 일부 환자는 암의 진행을 늦추기도 한다. 동료 전문가들의 검토가 이루어진 논문인 〈엄격한 채식[비건 채식]은 전립선을 막아주는가?Are Strict Vegetarians [Vegans] Protected Against Prostate Cancer?〉와 〈재발성 전립선암 환자의 채식 처방Adoption of a Plant-Based Diet by Patients with Recurrent Prostate Cancer〉에 나타났듯이, 채식은 치료에 도움이 될 뿐만 아니라 전립선암 환자의 암 진행률을 늦출 수도 있음이 확인되었다. 한때는 암에 걸리면 누구나 사형선고를 받은 듯 여겼지만, 우리가 점점 더 많은 것을 알아내게 되면서 희망도 계속해서 더 커지고 있다.

육상동물과 어류, 유제품, 달걀 소비와 관련된 기타 건강 문제

암은 동물성 식품을 먹는 것과 관련된 유일한 위험이 아니다. 어쩌면 가장 중대한 문제가 아닐 수도 있다. 메어 굽타Mehr Gupta 박사는 수많은 연구에 드러난 양질의 방대한 증거를 바탕으로 동물의 사체를 먹는 것과 건강에 대해 우리가 더 알아야 할 점이 무엇인지 내게 설명해주었다.

우리 사회에서 심혈관 질환은 엄청난 수의 질병과 사망의 원인이므로, 그 질병을 줄이는 것의 이점 역시 엄청날 것이다. 심혈관 질환에는 심장마비와 뇌졸중이 포함되며, 높은 콜레스테롤 수치와 고혈압, 당뇨병 같은 위험 요인도 포함된다. 심장과 뇌로 가는 혈액 공급에 영향을 미쳐 결과적으로 심혈관 질환을 일으킬 수 있는 혈전의 생성은 유제품과 특히 붉은 고기 같은 포화지방을 많이 함유한 식단이 원인임을 보여주는 연구는 수없이 많다. 채식은 혈압과 콜레스테롤을 낮추며 심지어 비인슐린 의존성 당뇨병의 치료에도 도움이 된다는 사실이 입증되었다. 채식은 인간의 혈관을 돌아다니는 혈전의 양을 줄여, 장래에 심장마비를 일으킬 위험을 낮출 수 있다. 이는 꽤나 엄청난 효과다.

심지어는 치매 같은 건강 상태도 우리가 먹는 것과 내장 상태에 밀접하게 연결되어 있다. 나의 할머니가 치매로 돌아가셨기 때문에 나는 이 질병이 얼마나 공포스럽고 혼란스러우며 괴로운지 잘 알고 있다. 당시에 내가 몰랐던 사실은 이미 1년 전인 2013년에 영양과 두뇌에 관한 국제학회International Conference on Nutrition and the Brain에서 전문가들이 치매를 예방하려면 채소, 콩, 완두콩, 렌틸콩 같은 콩과 식물, 과일, 통곡물을 포함한 채식을 권장했다는 점이다.

류머티즘성 관절염뿐만 아니라 만성적인 신장병, 만성 호흡기 질환, 천식까지도 모두 동물성 식품 소비와 잠재적인 연관성이 있으며, 채식을 하면 이 같은 질병의 치료에 도움이 될 수 있음을 보여주는 연구 결과가 있다.

이런 연구는 주로 육류와 유제품에 집중되어 있지만, 더 살펴보아야 할 부분이 있다. 생선에 대해서도 한번 이야기해보자. 많은 사람이 '뇌에 좋은 식품'이라고 여기는 생선에는 수은이 함유되어 있으며, 때로는 그 수치가 위험한 수준이다. 수은은 극단적인 수준의 뇌손상을 일으킬 수 있는데, 《환경 독성학 및 화학Environmental Toxicology and Chemistry》이라는 학회지에 발표된 논문에 따르면, '국내 브랜드 참치 통조림 3개사의 수은 함량 연구에서 통조림 참치의 55퍼센트가 미국환경보호국이 정한 인체 섭취 안전 기준을 넘어서는 수은 검출량을 보였'으므로, 퍽이나 염려스러운 상황이다. 뿐만 아니라 인간이 플라스틱으로 지구를 계속해서 오염시키면서 바다에서 살아가는 우리의 친구들에게도 영향을 미치고 있는데, 만일 우리가 생선 섭취를 중단한다면 이

밀접한 영향력의 고리를 끊을 수도 있다. 유엔 보고서에 따르면 바다에는 51조 개 이상의 미세플라스틱 입자가 떠다니고 있으며, 이것은 '은하수에 존재하는 별의 수보다 500배나 많은' 숫자다. 유럽에서 잡히는 홍합에는 일반적으로 약 90개의 미세플라스틱 조각이 들어 있다. 미세플라스틱은 통조림 생선을 포함한 모든 어류에 있으며 심지어 천일염에서도 발견된다.

마지막으로 달걀에 대해서도 다음과 같은 사실을 알게 되면 당신도 채식에 관심을 기울일지도 모른다. 미국농무부USDA는 미국달걀협회 광고에서 달걀을 '건강하고 영양가 높은' 식품으로 홍보하는 것을 금지했다. 달걀에 들어 있는 높은 포화지방과 콜레스테롤 때문인데, 이 두 가지는 역시나 심혈관 질환과 연결되며 잠재적으로는 치매와도 이어진다. 이 같은 사실은 마이클 그레거Michael Greger 박사가 정보공개법을 통하여 관련 서류를 입수한 뒤 드러났다.

과민증과 식생활 인종차별

아시아인 중 90퍼센트가 유당 불내증이 있다는 사실을 아는가? 책임 의학을 위한 의사위원회Physicians Committee for Responsible Medicine가 분석한 자료에 따르면, 아프리카계 미국인 중 75퍼센트도 마찬가지로 유당을 소화하지 못한다. 그런데도 아시아는 유제품 소비가 맹렬하게 증가하는 지역이며, 대부분의 식단 지침이 그러하듯이 미국 흑인에게도 미국 표준 식단 지침은 정기적으로 유제품을 섭취하라고 권한다.

처음에야 이런 해악이 지식 부족과 식단 지침서의 최신 업데이트가 늦어졌기 때문이라고 여길 수도 있지만, 이제는 많은 사람이 정부가 더 사악한 의도를 갖고 있다고 비판한다. 저명한 흑인 의사인 밀턴 밀스Milton Mills 박사는 현재의 식단 지침을 '심각한 형태의 제도적 인종차별'이라고 부른다. 실제로 그는 이 문제를 비판하려고 미국 표준 식단 지침을 마련한 자문위원회에 이의를 제기하고, 연구를 거쳐 영양 정책의 인종적 편견에 대한 논문을 발표했다.

낙농업을 포함한 모든 축산업계의 로비스트들은 많은 돈을 받고 그들의 식품을 즐겨 먹도록 부추기는 데 힘을 쏟는다. "이윤을 낳도록 산업을 운영하기 위해서 의도적으로 수많은 사람의 건강을 해치는 행위는 비난받아 마땅하다"고 밀스 박사는 이야기한다. 밀스 박사는 흑인들이 제작한 영화 〈보이지 않는 비건The Invisible Vegan〉에서 이 문제를 언급한다. 이 영화에서 푸드 임파워먼트 프로젝트Food Empowerment Project를 이끄는 로렌 T. 오넬라스lauren T. Ornerlas[12]는 먹거리 문제와 불의를 이야기하며, 특히 식품 사막Food Desert 문제에 초점을 맞춘다. 식품 사막이란 신선하고 건강한 식품이 가득한 슈퍼마켓에 접근성이 낮은 지역이라, 이런 식품을 구하려면 멀리까지 가야 하는 거주지를 의미한다. 이런 지역에서는 건강한 식료품을 구할 수는 있지만 가격이 너무 비싸서 주기적으로 섭취할 수 없는 경우가 흔하다. 이런 유의 접근성 문제는 유색인종 사회, 특히 흑인 사회에 압도적인 영향을 미치며, 식품 사막 문제는 환경 관련 인종차별의 형태로 자리 잡는다. 식품 공급 안전성은 호주에서도 많은 원주민과 토레스 해협 주민에게 해결이 요원한 문제다.

〈그들이 우리를 죽이려 한다They're Trying to Kill Us〉라는 다큐멘터리에서는 이 모든 것이 의도적으로 '설계된' 은밀하고도 조직화된 형태의 인종차별이라고 주장한다. 백인들에

12. 의도적으로 이름을 소문자로 시작함.

게 혜택이 주어지는 방식으로 흑인들도 자신들의 사회 기반을 구축할 기회를 박탈하여, 인종 분리를 더욱 영속화한다는 것이다. 이는 우월주의에 대한 거짓된 개념과 또 다른 종류의 편협함이 낳은 또 다른 종류의 인종차별이다. 이것이 바로 식생활 인종차별이다.

잘못된 상식 깨부수기
: 비건 채식과 건강, 웰빙

콩을 먹으면 호르몬 체계가 엉망이 된다

아니, 그렇지 않다. 세상의 모든 것은 화학물질로 구성되어 있다. 우리 몸속엔 에스트로겐이 있다. 콩에는 식물성 에스트로겐이 들어 있다. 이 둘은 같은 것이 아니다. 이런 화학물질은 우리 몸속의 에스트로겐 수용체와 결합할 수는 있지만, 에스트로겐과 똑같은 방식으로 작용하지 않는다. 그러므로 당신에게 유방이 없다면, 혹은 그 비슷한 것도 갖고 있지 않다면 유방이 커지는 일 따위는 일어나지 않는다. 식물성 에스트로겐은 사실 항산화 및 항염증 작용을 한다. 두유와 간장, 콩으로 만든 대체 고기가 정말로 유방을 키우는 데 효과가 있다면, 몇몇 사람이 지적하듯이 콩 제품에 대한 수요가 훨씬 더 폭증했을 것이다!

비건 채식을 하는 사람은 비타민 B_{12}를 영양제로 보충해야 하는데, 이는 건강하지 못한 생활방식이라는 의미다!

비건 채식을 하는 사람은 비타민 B_{12}를 영양제로 보충하거나 비타민 B_{12}가 강화된 음식(수많은 식물성 우유처럼)을 먹어야 한다는 건 사실이다. 그러나 당신이 모르는 사실이 있다. 비타민 B_{12}는 동물에게만 필요한 영양소가 아니다. B_{12}는 비타민이며, 특정한 박테리아가 이를 생성하는 데 도움을 준다. 이러한 박테리아는 토양과 해조류, 심지어는 일부 식물에서도 발견된다. 풀을 뜯어 먹으며 흙도 일부 함께 먹는 동물은 종종 비타민의 혜택을 얻을 것이다.

동물을 먹는 사람은 이렇게 생성된 비타민 B_{12}를 섭취하게 되는데, 농장에서 키우는 가축에게 종종 비타민 B_{12} 영양제를 사료에 섞어 먹이거나 주사로 주입한다는 사실은 많은 사람이 모른다. 비타민 B_{12} 영양제라면 우리가 직접 먹는 것이 훨씬 더 효과적이다.

재미있는 사실이 하나 더 있다. 하버드 공중보건대학의

연구에 따르면, 미국인 중 40퍼센트는 식단 때문이 아니라 유전적 요인 때문에 비타민 B_{12}가 결핍된 것으로 나타났다.

유제품으로 칼슘을 섭취하지 않으면 뼈가 약해질 것이다

아니, 그런 일은 없다. 우유가 칼슘의 공급원이라는 사실에는 논란의 여지가 없다. 그러나 우유에는 송아지가 성체로 자라는 데 도움을 주는 온갖 지방과 호르몬이 풍부하게 들어 있다. 인간은 일단 모유 수유를 중단한 뒤에는 더 이상 우유를 먹지 않아도 된다.(모유가 인간 아기를 위한 것이듯 우유는 송아지를 위한 것이다.) 식물성 칼슘 공급원은 뼈를 보호하면서도, 우유나 치즈, 요구르트 같은 유제품이 유발하는 만성 질환의 위험이 없다.

전문가들의 검증을 마친 〈비건 채식과 골다공증 : 현존 문헌 검토Veganism and Osteoporosis: A Review of Current Literature〉 같은 연구를 보아도, 전반적으로 건강한 채식 식단은 골절이나 골다공증에 걸릴 위험이 낮으며, 이는 건강한 비건 채식인이 이미 현실에서 경험하는 사실이다.

근육질이 된다거나 스포츠를 잘할 수는 없을 것이다

자신이 원한다면 얼마든지 근육질이 될 수도 있고 스포츠를 잘할 수 있다. 다큐멘터리 〈게임 체인저The Game Changers〉에는 세상에서 가장 강한 남자로 세계 신기록을 수립한 패트릭 바부미언Patrik Baboumian을 비롯하여, 미국 신기록 보유 역도 선수 켄드릭 패리스Kendrick Farris, 울트라 마라톤 선수 스콧 주렉Scott Jurek, 호주에서 두 번 우승한 육상 챔피언 모건 미첼Morgan Mitchell, 전미 사이클 챔피언을 8회나 차지한 닷시 바우쉬Dotsie Bausch 등 비건 채식주의자 운동선수들이 출연하여 이러한 오해를 깨부순다.

식물성 식품을 먹는 사람이 운동에 불리하다는 주장에는 아무런 과학적 근거가 없다. 그러나 식물성 식품을 섭취하면 근육으로 가는 혈관의 흐름을 개선하여 몸속 염증이 줄어드는 한편, 글리코겐 저장량이 늘어난다는 증거는 있다.

건강한 방식으로 비건 채식을 하려면 비용이 많이 들어 소수 특권층을 위한 것이다

비건 채식에 비용이 많이 든다면 그것은 오로지 당신이 좀 더 값비싼 취향을 지녔기 때문이다. 렌틸콩과 콩으로 볼로네제 소스를 만드는 것만 해도 쇠고기로 만드는 것보다 저렴하며, 비건 채식용 다짐육으로 만드는 것보다도 값이 싸진다. 통조림 식품과 제철 현지 채소를 쉽게 구할 수 있는 곳에 살고 있기만 하다면 고기나 유제품보다 훨씬 저렴한데, 당신이 사는 곳은 그럴 가능성이 높을 것이다.

당신은 비건 채식이 가능한 사람일까? 지금 당장 비건 채식을 하고 싶어도 진짜로 그게 불가능한 사람을 위해, 그리고 우리 지구와 공동체의 건강과 동물의 안전을 지키기 위해 우리는 채식을 할 수 있는 특권을 누려야 한다.

ACTION

어떻게 행동하면 좋을까

유색인종 비건 채식인의 활동에서 배우기

비건 채식은 백인의 전유물이 아니란 걸 알고 있지만, 여전히 그런 식으로 비치는 경우가 흔하다. 이는 비건 채식 운동이나 인구 분포가 반영된 결과가 아니라, 대표성의 문제다. 앱 코Aph Ko는 〈뉴욕타임스〉와 한 인터뷰에서 "흑인 비건 운동은 가장 다양하고 탈식민주의적이며 복합적이고 창의적인 운동이다"라고 말했다. 페미니즘뿐만 아니라 흑인 비건 채식과 해방에 관한 책을 집필하고 있는 코는 블랙 비건록Black Vegans Rock의 창시자로, 여러분도 짐작할 수 있듯이 비건 채식 운동에서 흑인의 활동을 특히 조명한다. 이들 중 많은 사람이 인종차별에 대한 정치적 저항의 한 형태로 건강한 음식과 식품 정의, 흑인의 건강 문제에 접근하는 데 중점을 두고 있다.

다음은 독자들이 팔로우할 만한 흑인과 유색인종 비건 채식인의 목록이다.

- 에이미 브리즈 하퍼Amie Breeze Harper 박사는 학자이자 대중 연설가로, 《시스타 비건 : 흑인 여성 비건 채식인이 음식 정체성, 건강, 사회에 대해 말하다Sistah Vegan: Black Female Vegans Speak on Food, Identity, Health and Society》의 저자다.

- 트레이시 맥쿼터Tracye McQuirter는 수상 경력에 빛나는 공중보건 영양사이자 베스트셀러 작가로 《어떤 채소가 필요하든By Any Greens Necessary》을 집필했다.

- 로렌 T. 오넬라스lauren T. Ornerlas는 음식과 식생활의 불평등을 살필 뿐만 아니라 농장 노동자의 권리를 주시하는 단체인 푸드 임파워먼트 프로젝트Food Empowerment Project를 설립한 의장이다.

- 모니크 코흐Monique Koch는 브라운 비건Brown Vegan의 창시자다. 대중 연설가이자 블로거이기도 하며, 요리사로서 간단한 요리법으로 사람들이 쉽게 비건 채식을 실천할 수 있도록 돕는다. 코흐의 팟캐스트에서는 식문화와 공동체 의식 등을 주제로 다루며, 주로 흑인 비건 채식 여성을 게스트로 초대한다.

- 데비 모랄레스Debbie Morales는 인스타그램에서 @sisoyvegan으로 알려져 있으며, 환경주의와 인종차별, 식품 접근성, 교차 비건 채식에 대한 정보와 함께 레시피를 공유한다.

- 타비타 브라운Tabitha Brown은 전 세계에서 가장 좋아하는 엄마라는 별명으로 활동하는 기쁨의 화신으로, 비건 음식과 요리법에 대한 동영상을 공유한다.

- 지포라Zipporah는 인스타그램에서 @zipporahthevegan으로 알려진 인플루언서로, 흑인 친화적이고 다이어트를 반대하는 비건 채식인이며, 비건 채식, 인종차별 반

대, 음식 등에 관한 콘텐츠를 공유한다. 또한 지포라는 비건 채식에 대한 자신의 경험담과 과거에 겪은 섭식 장애에 대한 이야기도 나눈다.

사례 연구 : 새로운 방식으로 공중 보건을 시도한 정치인

에릭 애덤스Eric Adams는 뉴욕 시장으로, 흑인이 뉴욕 시장에 취임한 것은 그가 두 번째다. 흑인과 라틴계 인구가 많은 뉴욕에서, 소외되고 억압받으면서도 혁신적이고 회복력 있는 활기찬 집단에 대한 보호를 상징하는 인물의 성찰이 돋보이는 리더십은 매우 중요하다.

한때 그는 '정크 푸드'를 먹어대는 흔한 미국인의 식습관을 따르다 제2형 당뇨병에 걸려, 시력을 상실하고 손과 발의 신경 손상을 입었다고 나에게 말했다. 그는 고혈압에 콜레스테롤 수치도 높았고 위궤양도 있었다. 그는 변화하기로 결심했다. 자연식품과 채식 식단을 한 지 3주 만에 그는 시력을 회복했다. 3개월 뒤엔 몸이 다시 건강해졌으며, 당뇨병 수치가 낮아지고, 위궤양과 신경 손상이 사라졌으며, 혈압과 콜레스테롤 수치도 건강한 수준으로 회복되었다.

현재 애덤스는 우리가 모두 같은 근원에서 탄생했으므로, "우리 자신과 우리의 어머니를 어떻게 돌볼지, 또한 어머니 지구를 어떻게 보살필지 결정해야 한다"면서, "살아 있는 생명체를 학대해서는 안 되며 그 과정에서 우리도 학대받지 않을 것이라 기대하는" 신념을 품고 있다. 자신의 지역사회 주민들도 각자 건강을 좀 더 잘 통제하는 것이 가능하며, 많은 경우 평생 약을 먹지 않아도 된다는 사실을 보여주기 위하여 애덤스는 정신적으로나 신체적으로 좀 더 건강한 지역사회를 조성하는 것을 자신의 소명으로 삼았다.

시그나Cigna 보험사의 보고서에 따르면 미국 내 흑인 집단은 만성 질환, 정신적 신체적 건강관리에 대한 접근성, 예방 검진 측면에서 모두 심각한 불균형을 겪기 때문에, 이것은 아주 중요한 목표다. 애덤스는 정부의 조치가 미비한 점을 강력히 지적하고, 흑인 청소년 사이에 극단적으로 높은 자살률과 관련하여 새로운 계획을 수립했다. 또한 그는 북미육류협회The North American Meat Institute의 철회 요구에도 아랑곳하지 않고 뉴욕 공립학교에 '고기 없는 월요일'을 도입했으며, 이들 학교에 발암 물질인 가공육 공급을 효과적으로 금하도록 교육부의 조치를 이끌어내는 데 성공했다.

뿐만 아니라, 뉴욕시의 기후발자국을 줄이기 위한 뉴욕 그린뉴딜 정책의 일환으로 애덤스는 학교뿐만 아니라 병원과 교도소, 지방 관공서에서도 가공육과 쇠고기를 금하는

'녹색 행동Green Action'을 이끌어 이들의 쇠고기 구매를 50퍼센트나 줄였다. 또한 그는 40명의 유색인종 의사와 협력하여 자연식품을 기반으로 하는 식단이 주는 건강상의 이점을 홍보하고 있는데, 이는 기저 질환 때문에 유색인종이 코로나바이러스로 죽는 비율이 특히 높았기 때문이다.

애덤스는 더 많은 병원으로 이 움직임이 확대되기를 바라면서, 미국에서 가장 오래된 병원인 벨뷰 종합병원에 생활습관 질환 진료소를 시범적으로 설립했다. 이 진료소는 의사, 간호사, 영양사, 운동 코치의 도움으로 환자들이 식습관을 변화하도록 교육을 실시하여, 지역사회 주민들이 식생활과 관련된 건강 문제를 예방하고 개선하도록 이끌고 있다.

집단 건강

비건 채식의 이점과 식물 재배 중심의 농업 시스템으로 전환하는 문제를 고려할 때, 소외된 계층을 염두에 두는 것은 대단히 중요한 일이다. 상대적으로 더 가난한 흑인과 원주민, 유색인종은 환경 문제에서도 인종차별을 겪으며, 공장식 축산업 단지에서 위험한 일을 하고 있을 가능성만 높은 것이 아니라, 앞에서 언급한 개인 건강 문제를 겪을 가능성 역시 높다. 각기 다른 인종과 민족성에 따라 차이를 보이는 심혈관 건강과 암 사망률, 기타 건강 문제의 불균형은 문서로도 명확히 확인된다. 빈곤층일수록 병이 들었을 때 안전한 치료를 보장하는 의료 서비스에 대한 접근성은 떨어진다. 더 건강한 먹거리에 대한 옹호는 개인으로서 우리에게도 이롭지만, 집단으로서도 이익이 된다. 건강한 채식에 대한 접근이 대단히 중요한 이유도 그 때문이다.

오늘날 횡행하는 유축농업에 드는 진짜 비용은 눈에 보이지 않는다. 여기에는 자금 부족과 인력 부족, 자원 부족으로 항상 어려움을 겪는 환자들과 의료 시스템에 강요되는 경제적 부담이 포함된다.

옥스퍼드대학교의 연구에 따르면, 2050년까지 만일 우리 모두가 채식으로 전환하는 경우 동물성 식품과 관련하여 발생하는 건강의 위험 감소 비율을 경제적으로 환산하면 그 가치가 전 세계적으로 매년 최소 1조 달러에 이른다. 이런 종류의 돈은 모든 사람이 안전한 집과 교육받을 기회, 윤택한 삶을 누리도록 하는 데 투자할 수 있다. 또한 재생에너지나 기후 난민 보호 등 수없이 많은 또 다른 주요 사업에 투자할 수도 있다.

또 다른 재미있는 사실은 전 인류가 채식으로 전환하면 모두 합산해 총 1억 2,900만 년의 수명이 확보될 수 있다는 점이다!

인수공통전염병

인수공통전염병의 위험성에 대해서는 이미 잘 알고 있지만(코로나19도 그중 하나) 그런 질병이 얼마나 흔한지, 그리고 현 의료체계가 그런 병이 창궐하는 위험을 얼마나 악화시키는지는 별로 알지 못하는 듯하다.

세계보건기구WHO에 따르면 동물에서 사람으로 전염되는 인수공통전염병은 모든 신종 전염병의 75퍼센트를 차지한다. 분명 코로나19는 동물에서 유래한 바이러스가 인간을 전염시킨 최초의 사례가 아니다. 조류독감은 공장식 닭 사육장에서 발발했고, 돼지독감 역시 공장식 사육 돼지들에게 창궐하여 수천 명의 목숨을 앗아갔는데, 두 질병 모두 끔찍하고 밀폐된 환경에서 동물을 사육한 것이 원인이다. WHO가 발표한 보고서에 따르면 1918년에 대유행하여 최소 5,000만 명의 목숨을 앗아간 독감 역시 대다수의 팬데믹 독감 유행과 마찬가지로 인수공통전염병이다. 코로나19가 발생한 이후, 전염병이 밍크에게도 퍼지면서 전 세계 모피 농장이 문을 닫았다. 야생 동물 거래와 이국적인 가축 거래는 우리 사회의 건강을 위협하는 것으로 간주되었다. 그러나 전 세계에서 닭과 돼지를 사육하는 공장식 농장에서는 계속해서 새로운 변종과 위험한 인수공통전염병을 토해내고 있다.

동물을 평화롭게 내버려두고서 그 대신 식물을 먹고 입는다면, 우리 모두 더 안전해질 것이다.

항생제 내성

인수공통전염병만 문제가 아니다. 항생제 내성 문제와 항생제 이후 세상의 잠재적인 현실에 대해서도 논의가 필요하다.

최초로 항생제를 투여받은 사람은 정원으로 들어가다가 우연히 장미 가시에 얼굴을 긁혔다. 페니실린을 비롯해 새롭고 실험적인 약물을 투여받기 전, 그의 얼굴은 전체가 부어올라 농양을 제거하느라 한쪽 눈을 적출해야 했고 남은 한

쪽 눈도 부종과 통증을 잠재우느라 계속해서 주삿바늘로 찔러대야 했다. 항생제를 투여한 지 며칠 후 그는 회복세에 접어들었지만, 당시엔 아직 완벽하게 회복시킬 수 있는 약이 충분하지 않았기에 결국 그는 사망했다.

이것은 항생제가 발견되기 이전의 세상 이야기다. 작은 상처와 부상이 사형선고가 될 수도 있는 시기였다. 오늘날 우리는 항생제에 의존해 수술을 받고 안전하게 치과 치료를 하며, 성병 감염이나 가벼운 상처가 악화되는 것을 모면할 수도 있고, 그 밖에 아주 일상적인 경우에도 항생제를 사용한다.

그러나 오늘날에도 일부 성병뿐만 아니라 결핵이나 폐렴 같은 감염병을 치료하는 것이 점점 더 어려워지는데, 이는 항생제의 효과가 떨어졌기 때문이다. 항생제를 더 많이 사용할수록 우리 몸을 공격하는 병원균도 항생제에 저항하는 법을 더 많이 '학습'하기 때문에, 점점 더 많은 감염병이 항생제에 내성을 보이며 항생제를 무력화한다는 사실은 널리 알려져 있다. 환자에게 정말로 필요한 경우가 아니라면 의사가 항생제를 처방해선 안 되는 이유가 바로 이 때문이다. WHO는 이 문제가 오늘날 세계 보건을 위협하는 가장 큰 걸림돌이라고 설명한다.

프린스턴대학교와 WHO의 공동 연구 결과는 전 세계에서 사용되는 항생제의 73퍼센트가 유축농업과 연관이 있으며, 비좁고 잔혹한 사육환경 탓에 질병이 만연한 현장에서 질병을 예방하기 위하여 항생제를 사료에 넣어 먹인다는 충격적인 사실을 전한다. 실질적으로 가축의 건강을 돌보는 것보다는 항생제를 먹이는 쪽이 더 저렴하다는 이유로, 우리는 자유롭게 뛰놀 권리가 있는 동물을 좁은 공간에 가둬 강제로 사육하면서 항생제를 먹여 약물을 낭비한다.《미국 공중보건 저널American Journal of Public Health》에서 언급했듯이 때로는 도축할 동물을 더 빨리 살찌우려는 단순한 이유로도 항생제를 사용한다.

이렇듯 항생제를 과도하게 사용함으로써 내성을 지닌 박테리아는 점점 더 흔해지며, 농장 가축의 항생제 내성은 2000년 이후 3배 가까이 증가했다. 이러한 질병을 유발하는 항생제 내성 박테리아는 직접 접촉으로만 인간에게 전염되는 것이 아니라 동물 고기 섭취로도 전염될 수 있다.

우리가 만들어낸 의학계의 기적을 계속 유지하고 싶다면 동물을 바라보는 시각을 바꿔야 한다.

더 풍요로워진 현대인들은
선사시대를 살았던 인류의 조상들보다
고기를 훨씬 더 많이 먹는다.
육식으로 초능력이 생기지는 않지만
일부 암과 다른 질병의 가능성은 확실히 증가한다.

PART 3

동물 구하기

• 5장

동물의 삶

안전하게 살 기회

혹시 당신은 동물과 믿어지지 않을 만큼 깊이 사랑에 빠진 적이 있는 사람일까? 아니면 그런 사람을 주변에서 본 적은 있을까? 반려견 벨라와 나는 바로 그런 사이다. 벨라는 내가 아홉 살 때부터 함께 했는데, 현재까지도 나와 같이 지내고 있다. 내 인생에서 나를 가장 사랑하는 사람들은 그 누구보다도 내 기분을 좋게 만들어줄 수 있는 생명체가 바로 벨라란 걸 잘 알고 있다. 벨라는 내가 가장 힘든 시기를 보낼 때 곁을 지켜준 존재이고, 우리가 같은 언어를 공유하지 못한다는 건 전혀 문제가 되지 않는다. 우리는 아주 다양한 형태의 애정과 강력한 비언어적 교감을 통해 서로 애정을 나눈다. 나는 벨라가 사료나 놀이, 내가 주는 안정감을 원할 때를 알아차리고, 벨라 역시 내게 언제 위로가 필요한지 알아차린다. 나는 이 개를 정말이지 엄청나게 사랑한다.

내가 또 누구를 그렇게 사랑하는지 아는가? 바로 내가 난생처음 입양해서 키운 새끼 양 윌로인데, 어미를 잃은 윌로를 내가 돌보기 시작한 건 태어난 지 겨우 며칠밖에 안 됐을 때였다. 윌로의 개성이 자라나는 걸 지켜보는 과정은 정말 특별했다. 매일 밤 윌로를 껴안고 따뜻한 우유를 먹이며, 나는 새끼 양이 점점 자신감을 키워가는 걸 지켜보았다. 장난기도 점점 더 늘어났다. 안전한 공간에서 자라고 튼튼해지면서 점점 더 자신만만해졌다. 이제 윌로는 어른 양이 되었지만 윌로에 대한 나의 애정과 보살핌은 여전하다.

윌로가 보호를 받으며 행복하고 자유롭게 살고 있다는 건 참 멋진 일이지만, 윌로처럼 닭, 칠면조, 암소, 염소, 돼지 같은 다른 동물들이 아늑한 보금자리에서 편히 살고 있는 경우는 아주 운이 좋은 소수에 불과하다는 걸 알기에 기분이 씁쓸하기도 하다. 나는 이곳 보호소 동물들의 이름이 각각 무엇인지 잘 알고, 머리 어느 부분을 긁어주면 가장 좋아하는지, 가장 좋아하는 놀이는 무엇인지, 가장 좋아하는 친구들은 누구인지 알고 있다. 하지만 세상엔 무수한 동물들이 극심한 학대를 당하며, 다 자라기도 전에 도살된다.

월로나, 태어나자마자 도살당할 뻔한 낙농 목장에서 구출된 염소 아틀라스처럼 동물보호소에서 살고 있는 동물들은 안전하게 살 기회를 영영 갖지 못한 모든 나머지 동물들을 떠오르게 한다.

유엔 식량농업기구FAO 자료에 따르면
매 초 육지에 사는 동물 2,300마리가 도살된다.
당신이 이 문장을 읽는 사이
약 9,200마리가 목숨을 잃었다.

그런 규모의 고통을 상상하는 것만으로도
눈물겹도록 힘이 든다.
혹시 반려견이나 반려묘를 키우는 사람이라면,
그들이 이런 위치에 놓였더라면 겪어야 했을
공포와 고통을 상상해보라.
그 고통을 수천 배로 늘여 상상해보라.

EXPLAINER

친절한 설명

종차별주의Speciesism

종차별주의란 인간이 다른 동물보다 우월하다는 믿음을 말한다. 이런 믿음은 종종 인간이 다른 동물을 착취하는 것을 정당화하는 데 이용된다. 동물들의 존재 자체에 대해서 이야기하지 않고서는 공장식 축산업에 대한 논의가 불가능하다. 특히 인간 이외의 동물을 논할 때, 우리도 동물임을 기억하자!

인간 이외의 동물을 다루고 바라보고 대상화하는 방식에 대한 논의는 종종 매우 불편하게 느껴지는데, 이는 자연스러운 현상이다. 종차별주의가 우리 모두에게 뿌리 깊이 새겨져 있기 때문이다. 우리가 동물을 분류하고 대하는 방식을 재평가하고, 그들이 정말로 어떤 존재인지 생각해보는 것은 기묘한 경험이며 마음 불편하게 느껴질 수 있다. 그러나 인간 이외의 동물이 겪는 고통은 우리가 이 책에서 살펴보아 온 모든 일의 중심에 놓여 있기 때문에, 반드시 그 부분을 짚고 넘어가야 한다. 동물과 관련된 산업은 동물의 사체를 소비재로 만들면서 번성한다.

다른 모든 경우와 마찬가지로 종차별주의는 차별의 한 형태다. 이들은 모두 억압의 한 형태이며, 모두 같은 방식으로 작동한다. 우선 근거도 없이 한 집단이 다른 집단보다 우월하거나 월등하다는 꼬리표가 달린다. 이 꼬리표는 아마도 '열등하다'고 분류된 집단에 가하는 끔찍한 폭력과 불의를 용인하는 데 사용된다. 본질적으로 억압은 하나의 조직이며, 차별의 다양한 형태는 뿌리가 되는 이 조직에서 비롯된 다양한 증상에 불과하다.

인간 동물의 경우, 인간이 다른 모든 종보다 월등하다는 근거 없는 개념을 정당화하는 수많은 이유가 있다. 우리는 말을 할 수 있기 때문에, 컴퓨터를 만들어낼 수 있기 때문에, '먹이 사슬의 정점에' 있기 때문에, 똑똑하기 때문에 같은 이유다. 이런 정당화의 모든 이유는 대단히 인간 중심적이며, 의사소통과 지능은 우리 인간들 사이에서만 가능하다는 믿음을 바탕으로 한다. 이는 전부 '물고기의 지능 측정을 나무에 오르는 능력으로 판단하는' 문제에 해당한다.

어쨌거나 다른 종들도 서로 의사소통을 하며, 지능 또한 갖고 있다. 동물들이 컴퓨터를 만들 수는 없을지 몰라도(그런데 개인적으로 그건 나도 못하는 일이다), 수없이 많은 다른 일은 할 수 있다. 어떤 종은 인간들이 아직 통달하지 못한 방식으로 집단 내에서 먹이를 공정하게 나눌 수 있다. 어떤 종은 빠르게 헤엄을 치거나 놀라운 높이까지 기어 올라갈 수 있으며, 심지어는 초음파를 발사하여 주변 상황과 위치를 파악할 수도 있다. 수많은 동물은 자신이 살고 있는 환경을 소중히 여기며, 다른 종들과 차별화되는 종 특유의 다양한 행동을 온갖 종류별로 지니고 있다. 어떤 경우에도 지능은 존엄과 존중을 받아야 하는 대상을 정하는 지표로는 탐탁지 않다.

인간이 인종, 성별, 성적 취향, 나이, 또는 기타 요인에 따라 우열을 가릴 수 없듯이, 동물들도 우리 인간들을 포함하여 누가 더 나은지 서로 우열을 가릴 수 없기는 마찬가지다. 우린 그저 모두가 서로 다를 뿐이다. 어린 시절부터 우리가 흔히 가르침을 받아왔듯이 그 차이를 빌미로 누군가를 함부로 대하는 것은 정당하지 못하다. 대량 학살과 폭력이 정당화될 수 없음은 더욱 자명하다.

종차별주의는 우리 사회에 뿌리 깊게 자리 잡고 있을 뿐만 아니라 인간 이외의 동물을 더 하등한 존재로 간주하며 각각의 개체로 인정하는 경우가 드물다. 목숨이 붙어 있는 상태로도 동물들은 '재고'로 불리며 상품화되어, 간식과 하이힐로 탈바꿈된다. 종차별주의는 지구상의 다른 모든 동물에게 저질러지는 온갖 잔혹 행위를 정당화하는 근본적인 뿌리다. 그러므로 이러한 잔혹 행위를 우리가 어떤 식으로 포장하는지 좀 더 면밀하게 들여다보자.

동물 복지

반려동물로 생각하든, 식용이나 오락거리로 여기든, 동물의 처우에 대한 논의는 주로 '복지'에 관한 것이다. 동물 복지에 관한 논의는 대개 동물에게 자행되는 잔혹성과 고통을 줄이는 방법을 살펴보는 것이며, 그 와중에도 동물들은 우리 인간이 정한 그들의 유일한 목적을 충족하기 위해 계속해서 착취당할 수 있다.

예를 들어, 영국왕립동물학대방지협회RSPCA는 동물 복지 단체다. 그들은 농장 가축을 보살피는 것이 중요한 이유를 떠들어대지만, 도살되는 동물에 대해서는 아무런 거리낌이 없다. 이런 시각은 드물지 않다. 동물에게도 지각이 있고, 고통과 공포, 기쁨을 느낄 수 있는 존재임을 인식하면서도 여전히 그들을 '음식'과 '의복'으로 바라본다는 것은 일종의 궁극적인 배신이다.

그렇다면 동물 복지는 동물 해방과 어떻게 다를까? 동물 해방은 종차별주의를 해체하는 것이다. 동물 해방은 개체의 종을 이유로 대상화하거나, 감금하거나, 사지를 절단하거나, 권리를 박탈하거나, 죽이는 것은 정당화될 수 없음을 인정한다. 단순히 개는 인간이 아니라고 해서, 우리가 개를 죽이고 때리고 감금할 권리는 없다는 뜻이다. 돼지나 닭을 예로 들더라도 마찬가지다.

반면에 동물 복지 이데올로기는 동물을 소유하고 죽여 이윤을 낳는 상품으로 만드는 것도 '잘만 한다면' 용납할 수 있다고 생각한다. 어느 농장에서 닭을 몇 마리만 키우는데, 그중에 릴리, 마일로, 노라라고 이름을 붙인 닭 세 마리가 있다고 치자. 세 마리의 닭은 근사한 삶을 누리며, 풀밭에서 벌레를 쪼아 먹고, 햇빛을 쏘이며 흙으로 목욕을 즐기다 농부가 머리를 쓰다듬어주면 가르랑거리기도 한다.(닭들도 기분이 좋으면 가르랑거린다!) 한 달가량 자란 릴리와 마일로, 노라는 돌연 안락함과 우정과 모든 것을 빼앗긴다. 누군가 그들을 잡아먹기 위해 죽임을 당하기 때문이다. 도살은 순식간에 이루어진다. 릴리, 마일로, 노라 같은 동물에게 주어지는 '동물 복지'란 이런 것이다.

혹시라도 이런 과정이 별로 참기 어렵지 않다면, 당신은 종차별주의의 편에 서 있다는 뜻이다.

사회 구성원으로서 우리는 다른 인간을 죽이는 데 허용 가능한 방식이 있다는 생각을 받아들이기 어렵다. 그들이 살기를 원하기 때문이기도 하고, 다른 사람의 목숨을 앗아 가는 것은 우리의 권리가 아니기 때문이다. 우리 인생의 동반자인 사랑하는 반려동물에게도 그런 생각은 용납할 수 없다. 그렇다면 왜 닭, 생선, 소, 칠면조는 '인도적으로' 죽일 수 있다고 여길까?

지각과 개성

지각이란 동물이 감정을 경험할 수 있는 능력을 말한다. 느낀다는 것은 의식을 갖고 주변에서 일어나는 일에 반응을 보이며 자각하는 것이다.

2012년에 (늦은 감이 없지 않지만) '국제적으로 명망이 높은 인지신경과학자, 신경약리학자, 신경생리학자, 신경해부학자, 컴퓨터 신경과학자 단체'가 저술한 《의식에 관한 케임브리지 선언Cambridge Declaration on Consciousness》은 "의식을 생성하는 신경학적 물질을 소유하는 것은 인간 고유의 특징이 아니다"라고 발표했다.

동물을 죽여서는 안 된다고 주장하는 이유는 흔히 "돼지는 개보다 더 똑똑하지는 않더라도 개만큼은 똑똑하다"라거나 "돼지는 세 살짜리 어린아이만큼 똑똑하다!" 같은 논리였다. 이러한 비교 논리는 종에 대해서 인간이 임의로 정한 가치의 서열에 얼마나 접근했는지, 혹은 인간에 비해 어느 수준인지에 따라 돼지를 아주 기본적인 안전과 권리를 누릴 가치가 있는 대상으로 평가한다. 이런 비교 논리는 또한 누가 무엇을 받을 자격이 있는지 정하는 중요한 지표로 지능을 손꼽는다. 이 두 가지 태도 모두 위험하다.

중요한 것은 그 누군가가 인간이든, 개나 돼지, 생선, 고양이, 코끼리, 오리, 혹은 북극곰이든 상관없이, 오로지 '이 개체가 느끼는가' 하는 것이다. 우리는 동물도 즐거움을 느끼듯 고통을 느낀다는 걸 알고 있다. 또한 많은 동물에게 친한 친구가 있고, 호불호가 있으며, 짜릿한 흥분을 느낄 만큼 좋아하는 게 있는가 하면 두려움도 있다는 것 역시 알고 있다. 우리는 모두가 삶의 생생한 경험을 갖고 있다.

동물보호소를 새삼 살펴볼 때 아마도 가장 흥미로운 점은 그곳의 동물들이 얼마나 다른가 하는 점이다. 오리, 닭, 소, 양 같은 동물을 우리는 동종의 집단으로 생각하기 때문에 동물 하나하나의 개성을 놓치기 쉽다. 마치 한 마음으로 움직이는 군집으로서의 동물은 우리와 교감할 만한 행동이나 움직임을 거의 보이지 않는다. 그러나 동물보호소에서는 하나의 개체로서 그들의 개성이 드러난다. 그들의 개성이 소중하게 받아들여지고, 상품의 자원으로서 여겨지는 것이 아니라 더는 폭력을 두려워하지 않아도 되는 안전한 환경에서 지내기 때문이다.

동물보호소에서 지내는 동물들은 생명력이 넘친다. 어떤 동물은 포옹과 쓰다듬기, 애정을 즐긴다. 어떤 동물은 활발해서 약간 거친 놀이를 즐긴다. 좀 더 소심한 아이는 가장 믿음직한 친구들과 소중한 시간을 보내기를 좋아하고, 어떤 녀석은 시끄럽고 까다롭게 구는 반면에 온순하고 인내심이 많은 동물도 있다.

농장에서 사육되는 동물들도 개성이 없는 것은 아니며, 다만 우리를, 인간이라는 종을, 그리고 우리가 그들에게 하는 짓을 두려워할 따름이다. 우리를 그런 식으로 두려워하지 않아도 되는 세상을 상상해보라.

물고기도 배려에 포함하기

동물에 대해 이야기할 때, 우리는 물속에 사는 동물을 깜박하는 경우가 너무 많다. 수중 동물에는 돌고래와 거북이,

고래뿐만 아니라 상어, 지느러미가 달린 어류, 갑각류 등도 포함된다. 동물에게 지각이 있음을 흔히 잊듯이, 물고기에게도 역시 지각이 있으며 심지어는 물고기도 동물이라는 사실 자체까지 너무 자주 잊히고 만다.

어류 보호단체인 피시 카운트Fish Count에 따르면, 매년 최소 1조 마리의 물고기가 식용으로 죽임을 당한다. 이런 종류의 숫자는 우리가 선뜻 파악하기도 불가능하지만, 적어도 물고기 한 마리의 고통을 인지할 수 있다면 아무리 곱셈을 거듭해도 그 숫자가 어느 정도인지 우리의 두뇌 용량을 넘어선다는 정도는 알 수 있을 것이다. 그럼에도 우리는 우선 물고기 한 마리가 고통을 겪을 수 있다는 걸 인식해야 한다. 실제로 물고기는 고통을 겪는다. 물고기는 모르핀 통증에 확실한 반응을 보인다. 흥미로운 것은 모르핀이 통증을 완화해주기는 하지만 통증 자체를 치료할 순 없다는 점이다. 이는 통증이 신체적인 분야일 뿐만 아니라 정신적인 자각과도 관련된 분야임을 의미한다.

물고기는 과거에 자신에게 통증을 유발한 대상을 적극적으로 회피하는데, 이것이 바로 '낚싯바늘 회피' 현상의 원인이다. 낚싯바늘에 걸려 고통스럽게 잡혔다 풀려난 물고기는 갈고리 비슷한 것만 보아도 낚싯바늘에 걸려 또다시 몸을 꿰뚫리게 될까 봐 두려워하며 멀리 달아난다.

저명한 행동 생태학자인 컬럼 브라운Culum Brown의 연구를 통하여 명확하게 드러났듯이, 물고기는 신체적 고통만 느끼는 것이 아니라 정신적 고통도 경험한다. 영국왕립학회 오픈사이언스Royal Society Open Science의 연구에 따르면, 암울한 수중 양식장에 갇혀 살아가는 물고기 네 마리 중 한 마리는 심각한 스트레스와 우울증을 겪는 인간과 거의 동일한 행동양식과 뇌 구조를 보였다. 심지어 우울증에 걸린 물고기는 성장이 둔화하고 정신적으로 건강한 물고기보다 사료도 훨씬 적게 먹었다.

갑각류도 지각을 갖추었다. 게와 바닷가재는 자신들에게 진정으로 해가 되는 것과 무해한 것에 대해 학습하여 장기 기억을 갖는 것으로 밝혀졌다. 또한 일부 게는 바다에 함께 사는 '이웃'을 보호하고 지켜주기도 하는데, 자신들이 누구의 편을 들어줄지는 까다롭게 결정한다. 그런데도 이런 동물은 종종 산 채로 삶아지거나 냉동시켜 죽임을 당한다.

심지어는 일부 양식장에서 의식이 있는 상태에서 눈알이 뽑혀, 많은 사람이 거의 죽은 것이나 다름없다고 생각하는 새우도 수염의 통증을 치료하려고 스스로 몸을 손질한다. 벨파스트 퀸즈대학교의 연구에 따르면, 이는 단순한 반사작용이 아니라 통증에 대한 반응이라는 사실이 드러났다.

이 모든 사실을 염두에 둔다면, 우리는 물고기라는 종에게 가하는 감금과 신체 절단, 도살을 모피나 깃털로 뒤덮인 동물에 대한 처우를 보는 것과 똑같은 방식으로 바라보아야 한다. 그들의 몸은 다르고 고통이 수반되는 실질적인 경험도 다르지만, 각각의 개체는 모두 확실한 감정을 느낄 수 있다.

EXPLAINER

친절한 설명

육식주의Carnism

육식주의는 종차별주의의 구체적인 표현이다. 육식주의는 종차별주의에 대한 피터 싱어Peter Singer의 독창적인 논의를 바탕으로 탄생한 책 《우리는 왜 개는 사랑하고, 돼지는 먹고, 소는 신을까Why We Love Dogs, Eat Pigs and Wear Cows》의 저자 멜라니 조이Melanie Joy 박사가 만들어낸 용어다. 그렇다면 이 둘의 차이점은 무엇일까?

'Carn'은 '살'을 의미하므로, 육식주의는 특히 우리가 먹는 동물에 관한 논의에 중점을 둔다. 종차별주의는 번식장에서 개를 착취하고, 동물원에 고릴라를 가둬두며, 토끼에게 잔인한 실험을 하고, 과학적으로 공감 능력이 있음을 잘 알고 있으면서도 아무런 가책 없이 쥐에게 독극물을 주입하는 존재로 인간을 바라본다. 육식주의는 우리가 음식을 통해 내리는 선택에 집중하여, 대부분의 사람이 죽은 동물의 신체 일부를 먹는 선택을 한다는 사실에 관한 '보이지 않는 이데올로기'다. 육식주의가 눈에 보이지 않는 이유는 대부분 생각을 하거나 딱히 이름을 붙이지 않기 때문이다.

육식주의는 근거 없는 신화 만들기를 통해 우리가 계속 고기를 먹게 만든다. 동물에 대해서, 그리고 고기에 대해서 우리는 흔히 신화처럼 전해지는 이야기를 듣는다. 이런 신화의 핵심은 '세 가지 N'으로 이루어진다고 조이는 말한다. 모두 먹고 있기 때문에 동물을 먹는 것은 '정상Normal'이라고 사람들은 말한다. 그러나 무엇이 정상인지 아닌지는 항상 변화한다. 과거에는 부모가 자식을 때리는 것이 정상이었지만, 당연히 그래야 하듯 오늘날에는 대부분 그 생각만으로도 얼굴을 찌푸리며 학대로 간주한다. 또한 사람은 동물을 먹는 것이 '필수Necessary'라고 말하지만, 이 책을 이 지점까지 읽은 당신이라면 이미 알다시피 그렇지 않다.

마지막 N은 일부 사람이 대단히 강하게 사로잡혀 있는 개념이다. 동물을 먹는 것은 영원히 지속되어온 일이기 때문에 '자연스럽다Natural'는 말을 우리는 아주 흔하게 듣는다. 하지만 우리는 자연스러운 것을 종종 잘못이라 여기기도 한다. 약육강식은 자연스러운 일이지만, 우리 인간은 그것보다는 더 배려하는 사회로서 기능하는 쪽을 선택했다. 사실상 자연에 호소하는 행위의 논리적 오류는 과학적으로도 잘 알려져 있다. 자연스럽지 않다며 백신을 반대하거나 기타 생명을 살리는 현대 의학을 거부할 때 주로 사용하는 논리이기 때문이다.

자연스럽다는 것이 항상 최선은 아니다. 하지만 영화 〈라따뚜이〉의 레미(또 다른 공감형 쥐)의 말을 인용하면, "변화야말로 진짜 자연스러운 것이며…… 우리가 영향을 미칠 수 있는 부분이다. 그리고 모든 것은 우리가 결정을 내릴 때 시작된다."

귀여운 생쥐 요리사 이야기에서 벗어나 다시 육식주의로 돌아가, 도덕적 이탈에 대해 이야기해보자. 도덕적 이탈이란 우리가 실제로 옳다고 생각하는 것을 고려하지 않고 부도덕한 행위에 대한 자기 회피를 선택하는 것을 말한다. 이것은 육식주의에서 큰 역할을 차지한다. 우리는 동물을 '식용 동물'과 '가축'으로 분류함으로써 지각 있는 동물을 죽이고 먹고 입고 신는 문제에서 해방된다. 우리는 그것이 그저 주어진 현실일 뿐이라고 스스로를 일깨우며, 그 생각이 용납 가능하고 윤리적인지 스스로 판단할 수 있는 선택을 외면한다.

어떤 이들에게 물소와 사슴은 '식용 동물'이다. 스웨덴에서 가족과 함께 살 때 나는 이들을 먹으면서도 이런 동물의 분류에 동의하지 않았기 때문에 마음이 불편했다. 그러면서 내가 깨달은 것은 단지 동물이 있을 뿐 '식용 동물'이란 실제로 존재하지 않으며, 우리가 죽이고 먹고 입고 신는 선택이 존재할 따름이라는 점이다.

ACTION

어떻게 행동하면 좋을까

그저 먹을거리, 의류, 실험 대상으로 취급되는 동물과 연대하기

어떤 동물은 정말로 별다른 감정을 느끼지 않으며, 별로 살 자격이 없다든지, 우리보다 '열등'한 존재이기 때문에 별다른 자유가 필요 없다고 믿도록 우리를 잘못 인도하는 문화적 규범이나 우리가 동물을 바라보는 방식 뒤에 도사리고 있는 이론의 허점에 대해서 나는 얼마든지 더 떠들어댈 수 있다. 또는 그냥 당신이 귀여운 동물 동영상을 찾아보며, 우리가 이야기하는 동물에 대해 알아볼 수도 있다. (사실, 둘 다 해보는 게 좋겠다!)

자칫하면 도살당할 위기에 놓인 농장 동물들에게 피난처

와 보금자리를 제공하는 동물보호소가 주변에 있는지 알아보는 것은 어떨까? 그런 곳을 직접 방문해보라! 그곳에 사는 각각의 동물들에 대해 배우고, 그들의 사연을 듣고, 그들이 속한 종에 대한 개념이 달라지는 것을 한번 경험해보기 바란다. 우리가 그들에게 하는 짓에 대한 개념이 달라지는 것도 느껴보기 바란다.

당신 주변에 혹시 그런 동물보호소가 없다면, 혹은 있더라도 방문하기 여의치 않다면, 온라인으로 몇몇 보호소를 찾아가 가상으로 똑같은 경험을 해보자. 훌륭한 몇몇 보호소는 다음과 같은 이름으로 소셜미디어 계정을 운영한다.

- 에드거의 사명Edgar's Mission
- 반 동물보호소Barn Sanctuary
- 팜 동물보호소Farm Sanctuary
- 시수 피난처Sisu Refuge
- 암소는 행복하게 살았습니다 동물보호소Happily Heifer After Sanctuary
- 랜초 릴렉소Rancho Relaxo [부 체이스Boo Chases]
- 우드스탁 팜 동물보호소Woodstock Farm Sanctuary

마케팅과 언어가 잔혹함을 숨기는 방법

현재의 축산업 시스템이 잔혹하고 비인간적임에도 우리는 계속해서 꿈속의 그림 같은 목장을 상상하기를 좋아한다. 그래야 최소한 어느 정도는 우리가 아끼는 개체를 잡아먹는 것에 대해 마음을 편하게 먹기 쉬워지기 때문이다.

광고와 우리가 직접 사용하는 언어는 머릿속에 이런 환상적인 농장 풍경을 유지하고, 우리도 잘 알고 있는 동물의 고통을 축소하는 데 중요한 역할을 한다. 미국동물학대방지협회와 정부기관에서 발표한 여러 연구 결과를 보면, 미국과 호주 전역의 소비자는 교묘한 상표 문구를 제대로 이해하지 못했으며, 자신들이 돈을 지불하고 사는 상품의 실제 현실보다 동물에 대한 처우가 더 나을 것이라고 짐작했다. 우리가 매일같이 광고에서 보는 푸르른 초원의 이미지와 알쏭달쏭한 전문용어를 고려하면 그리 놀라운 일도 아니다.

동물 살코기를 포장한 상품에 붙어 있는 '인도적' 같은 단어는 우리 마음을 편안하게 해주며, 축산 농장과 이런 이름표 사이에는 일관된 기준이 존재할 것처럼 생각하게 만든다. 미국 소비자 대부분은 이런 내용을 사실로 받아들이지만,

일반적으로 '인도적'이라는 용어에 대한 법적 정의는 없다.

유럽 전역에서도 동물 복지에 관한 상표에는 통일된 규정이 없으며, 따라서 '인도적', '높은 복지', '방목', '자유 방사' 같은 표현은 우리가 생각하는 것과 전혀 다른 의미인 경우가 흔하다.

'행복한 암탉'이 낳은 달걀이라며 팔리는 상품은 생후 18개월이 되면 단체로 죽여 '개체 수를 조절한' 닭을 사육하는 공장식 양계장에서 생산된다. 너무 많은 달걀을 낳은 암탉의 몸이 그 이상 버티지 못하기 때문이다.

치즈는 매년 갓 태어난 송아지를 빼앗기고 결국엔 도살될 운명인 어미 소에게서 나오는데도 만화처럼 미소를 짓고 있는 암소의 이미지를 그린 상표로 포장되어 출시된다. 조금만 생각해보면 유제품 생산은 《시녀 이야기》[13]와 매우 비슷한 구석이 많다.

정육점엔 간혹 돼지가 소시지를 들고 있거나, 자랑스레 칼을 쳐들고 동족의 살을 잘라내는 그림이 붙어 있다. 마트 진열장에서 비닐로 포장해 판매하는 돼지 족발에는 '칸막이

····· 13. 캐나다 작가 마거릿 애트우드의 작품으로, 여성이 출산 도구로 전락한 전체주의 사회를 그린 소설.

없는 축사에서 키웠음'을 자랑하는 상표가 붙어 있지만, 실상은 철창과 콘크리트 바닥에 둘러싸인 또 다른 종류의 협소한 분만실이 돈육 업계의 표준이다. 어미 돼지는 그런 분만실에서 몸도 돌릴 수 없으며, 새끼가 충분히 자라면 어미 돼지한테서 떼어내어 키우다가 도축한다. 어미 돼지는 다시 수정되고, 모든 과정이 또다시 반복된다.

우리가 사용하는 언어는 막대한 힘을 지니고 있으며, 우리가 진실이라고 짐작하는 광고도 마찬가지다.

EXPLAINER

친절한 설명

합법적인 동물 신체 절단

다음은 전 세계에서 고통 완화 조치 없이 이루어지는 동물에 대한 합법적인 신체 절단 방식의 일부에 불과하다.

피해 동물	신체 절단
암탉, 닭, 칠면조	초고열이나 적외선으로 부리 끝을 자름.
칠면조	발톱을 자르거나 불에 그을려 뽑아냄.
소, 양, 돼지	꼬리를 대부분 칼로 자름. 새끼 돼지는 종종 가위로 잘라냄.
송아지, 새끼 양, 새끼 돼지	고환은 대부분 칼로 잘라내는데, 가끔은 끈으로 단단히 묶어 혈액순환을 차단해 고통스럽게 잘려 나가도록 함.
새끼 돼지	어린 새끼 돼지의 이빨을 뽑아냄.
소	뿔과 어린 뿔자리는 인두로 지지거나, 거대한 절삭도구로 잘라내 출혈을 유발함.

거세는 개체 수를 조절하고, 공격성이 더 심해지는 것을 좌우하는 테스토스테론을 낮추기 위해 자행된다. 좁은 공간에 함께 갇힌 동물은 공격적으로 행동할 가능성이 더 높다. 비좁은 공간에 다른 사람들과 함께 밀집되어 서로 몸을 부딪히며 밟힌다고 상상해보라. 창문도 없는 공간에서 박탈감으로 인한 좌절감이 이런 상황과 겹치면 싸움으로 이어지는 것은 당연하다. 이러한 공격성은 어쩔 수 없이 동물들을 심리적으로 불안하게 만들며, 가끔은 동료를 잡아먹거나 자해를 하기도 한다. 물론 뿔이 없거나 날카로운 발톱, 물어뜯을 꼬리, 물어뜯을 이빨이 없는 경우에는 신체적 상해가 적어져, 우리가 먹고 입는 용도로 쓰일 살과 가죽이 더 많이 보존될 것이다.

EXPLAINER

친절한 설명

우리가 여기까지 온 방법

유발 노아 하라리의 연구에 따르면, 250만 년 동안 채집과 이따금씩 나간 수렵 활동으로 식량을 구하던 인류는 불과 1만 년 전 다른 방법을 도입하기로 결정을 내렸다. 반드시 의도적인 것은 아니지만, 우리는 놀라울 정도로 다채로운 식물을 골고루 먹던 식생활을 벗어나 몇 가지 주식에 의존하게 되었다. 또한 다루기 쉬운 동물, 곧 너무 강하게 저항하지 않고 인간의 의지대로 길들일 수 있는 온순한 초식동물을 떼로 기르기 시작했다.

오늘날 양과 염소의 고대 조상은 인간 이외의 포식자에게서 공격받지 않도록 보호를 받았지만, 그래서 우리는 양과 염소를 독점적으로 잡아먹는 포식자가 되었다. 인간은 양과 염소가 살 수 있는 지역을 에워싸기 시작했고, 그러면서 가장 순종적인 종만 살아남아 번식할 수 있도록 했다. 새로운 감금 생활에 적응하지 못해 너무 공격적으로 변하거나 주변 동료를 죽인 동물은 오래 버티지 못했다.

인류의 조상 중 일부는 돼지의 주둥이를 잘라내고 송아지의 입 주변에 가시를 묶어, 먹이를 찾아 냄새를 맡거나 땅을 팔 때, 또는 어미 젖을 빨 때 부상을 유도했다. 인간은 그들에게 먹이를 주고 그래서 마음대로 통제하는 유일한 주인이 되고 싶어 했다. 인간이 마실 우유도 손에 넣고 싶었다. 오늘날에도 일부 방목 돼지의 코에는 구멍을 뚫고 금속 고리를 매달아 자리를 이동하거나 땅을 파는 것을 방지하고, 개체를 구분하기 위해 귀의 일부를 잘라낸다. 젖을 빨지 못하도록 송아지의 코에도 여전히 플라스틱 가시가 달린 클립을 꽂아둔다.

아주 오래전에도 어쩌면 농장은 우리가 상상하는 것처럼 그림 같은 풍경은 결코 아니었을 것이다. 그럼에도 우리는 점점이 흩어져 있는 양떼를 돌보는 소박한 농부를 상상하기를 즐긴다. 하루 종일 풀숲을 쏘다니며 벌레를 쪼아 먹는 행복한 닭이 가득한 붉은 색 헛간, 한가롭게 돌아다니다 진흙 목욕을 즐기는 돼지, 그 너머에서 즐겁게 음메음메 울어대는 암소의 모습은 우리가 상상하기 좋아하는 풍경이다.

그러나 이것은 환상이다. 오늘날 거의 모든 닭은 공장식 양계장에서 살아간다. 센티언스 인스티튜트Sentience Institute에 따르면, 사실상 육상 동물의 3분의 2와 양식 어류를 포함한 전체 동물의 90퍼센트는 이런 공간에 갇혀 산다.

1923년, 세실 스틸Cecile Steele은 달걀을 팔려고 닭을 50마리 주문하려다 실수로 500마리를 주문했다. 당시만 해도 사람들은 닭고기를 먹느라 닭을 착취하진 않았다. 실수를 바로잡을 수 없었던 세실은 닭을 우선 창고에 밀어 넣고는 도축장에 팔기로 결심했다. 이 과정에서 세실은 원래 달걀을 팔려던 계획보다 더 큰 돈벌이가 된다는 사실을 깨달았고, 계속해서 닭을 더 많이 주문해 급기야는 창고에서 형편없이 보살피는 닭의 수가 1만 마리로 늘어났다.

이후 50년간 과거엔 존재하지 않았던 육계 산업이 도살한 닭의 수는 매년 30억 마리에 달했다. 그 뒤로 육식에 대한 인간의 집착은 계속해서 증가했고, 무수한 돼지와 소, 양, 닭, 오리, 칠면조, 물고기, 기타 동물만 죽인 것이 아니라 우리가 즐겨 상상하는 그림 같은 농장에 가까이 다가오는 것은 무엇이든 죽여버렸다. 여전히 우리는 죽음으로부터 모든 이익을 얻고 있다.

법이 동물을 배신하는 법

이 시점에서 나올 법한 정당한 질문은 "어떻게 이런 것이 합법적인가?"일 것이다. 영국, 미국, 호주, 그리고 전 세계 대부분의 국가에서 농장 동물에게는 아무런 권리도 없으며, 보호 장치도 거의 없다.

호주와 미국에서 농장 동물은 지극히 드물기는 해도 다른 동물들이 받는 광범위한 보호법에서 특별히 제외된다. 호주의 동물학대방지법은 동물에 대한 모든 보호를 명시하고 있으나, "별도의 실행 지침에 따라 운영되는 농장 동물의 사육, 이송, 판매, 도살에는 이 법령이 적용되지 않는다"고 구체적으로 언급하는데, 이 실행 지침이라는 것은 대개 의무조항이 아니라 구속력이 매우 약하다. 가령 이 실행 지침대로라면 둔기로 많은 동물을 한꺼번에 몰살하는 것도 전적으로 허용된다.

미국에는 농장 동물에 대한 보호장치가 전혀 없음이 확인되지만, 도축장에서 취급하는 많은 동물의 경우엔(이마저도 조류는 포함되지 않는다) 일부 보호법이 존재한다. 코네티컷주에서는 원래 '모든 동물'에게 안전을 제공하던 법이 개정되어, '악의적이고 의도적으로' 동물을 불구로 만들거나, 절단, 고문하거나 상처를 입히거나 죽이는 행위라 하더라도, 일반적으로 인정되는 농업 분야의 관행을 따르는 경우에는 합법으로 인정된다고 개정되었다.

영국에서 농장 동물은 '불필요한' 해악과 고통이 따를 때만 보호를 받는다. 고통은 '만일 피할 수 있고 의도적으로 자행되는 경우라면' 불필요한 것으로 간주되어야 마땅하다. 그게 더 이치에 맞지 않을까? 동물을 먹고 입는 것은 피할 수 있는 일이며, 우리가 농장에서 기르는 동물에게 가하는 고통은 완전히 의도적이다. 근본적으로 상업적인 필요에 따라 동물에게 가하는 해악과 도살은 법적으로 필요한 것으로 간주된다. 갇혀 지내는 동안 돼지가 서로 물어뜯지 못하도록 이빨을 뽑아내야 한다면 그것도 허용된다.

인간에게 사육된다는 것은 전적으로 인간의 자비에 맡겨지거나, 자비가 심각하게 결여된다는 의미다.

ACTION

어떻게 행동하면 좋을까

개별적인 언어 사용

'그것'이라는 낱말을 생각해보라. 동물에 대해 이야기할 때, 혹은 동물에 대해 다른 사람이 이야기하는 것을 들을 때, '그것'이라는 낱말이 얼마나 자주 들리는지 주목해보라.

"저 돼지 좀 봐. 다리를 절고 있어."

"그건 닭이야. 그건 고통을 못 느껴.",

"그건 그냥 물고기야."

"강아지가 어미를 얼마나 그리워할지 궁금해."

"그건 괜찮을 거야. 양들은 멍청하거든."

"저 소 좀 봐. 그거 너무 귀엽다."

이런 문장은 괜찮아 보여도 '그것'이라는 낱말은 사물이나 대상, 상품을 지칭하는 데 사용된다. 우리가 사용하는 언어는 강력해서 현실 세계에 대한 인식을 바꾸기도 한다. 의식하지 못하더라도 동물을 사물로 지칭할 때, 우리는 이런 생각을 뒷받침한다. 동물은 사실 감정과 생각과 호불호를 지닌 개체가 아니라 사물이라는 개념을 영속화하는 것이다.

무척 어려울 수도 있고 말실수를 할 수도 있지만, 동물을 '그 녀석', '그 아이'로 부른다거나 혹시 성별을 모르면 '걔네'라고 부르도록 노력해보자. 그러면 당신이 그런 동물을 생각하는 방식에도 변화가 찾아올지 모른다.

EXPLAINER

친절한 설명

방목이라는 사기극

방목 사육은 흔하지 않다. 미국닭고기위원회US National Chicken Council에 따르면 사실 육계용(구이용 영계)으로 도축되는 닭 중 미국에서 방목 사육되는 닭은 1퍼센트에 불과하다. 보이스레스Voiceless에 따르면, 호주에서도 그 비율은 4분의 1에도 미치지 못한다. 대부분의 닭은 창문도 없고 암모니아 냄새로 가득 찬 밀집된 축사에서 살기 때문에, 축사 안에 들어가면 눈이 따가울 지경이다. 전 세계 대부분의 산란계는 A4 용지 한 장보다 크지 않은 닭장에서 살아간다. 이런 닭장들은 층층이 높이 쌓여 시끄럽고 스트레스를 유발해, 갇혀 있는 상태를 견디지 못해 정신병에 걸린 닭도 많다.

그러나 방목 사육이 흔하다고 가정해보자. 그 모습은 실제로 어떨까? '방목'이라는 말은 여러 곳에서 아직 제대로 정의되지 않은 개념이지만, 2016년 호주는 '방목'이라는 용어에 대한 법적 정의를 도입하여, 닭의 경우 한 마리당 1제곱미터의 공간만 있으면 되고, '유의미하고 주기적인 야외 환경 접근성'을 요구했는데 막상 이런 용어에 대한 정의는 포함하지 않았다.

한 유명 치킨 브랜드는 닭들이 굽이치는 언덕을 여기저기 돌아다니고 농부가 닭들을 정성스레 돌보는 장면을 광고에 담았다. 그러나 이 브랜드가 소유한 농장에서 사육되는 닭들은 생후 약 33일이 되면 도살당했고, 그 기업의 보고에 따르면 그 기간 동안 야외로 나갈 수 있는 날은 14일에 불과했다. 야외에 나가지 못할 때는 1제곱미터당 촘촘히 뒤엉켜 있는 닭들의 무게가 최대 28킬로그램에 이르렀다. 전 세계 모든 나라에서도 들려오는 이야기는 비슷하다.

동물들이 정말로 하루 종일 자유롭게 초원에서 풀을 뜯을 수 있다면 어떨까? 마케팅에서 '방목'에 초점을 맞추면, 농장에서 동물들이 직면하는 다른 모든 형태의 착취를 우리가 잊어버리도록 도울 뿐이다. 예를 들어, 양은 일반적으로 방목해 사육하는 동물이기 때문에 양들의 삶은 괜찮을 것이라고 짐작하기 쉽다. 그러나 호주에서는 아무런 고통 완화 조치 없이 칼로 양의 꼬리를 자르는 것이 합법적이다. 우리가 이런 이야기를 별로 들어보지 못한 이유는, 이런 이야기가 퍼지면 양고기와 양모 판매가 어려워지기 때문이다.

우리는 도살되기 전에 소의 뿔이 얼마나 고통스럽게 잘려나가거나 인두로 지져 뽑혀나가는가 하는 문제 대신에 소가 어떤 방식으로 풀을 먹는지에 초점을 맞춘다. 우리는 소의 개성을 지워버린다. 우리는 소를 '그것'이라 부르고, 소의 살을 '쇠고기'라 부르며, 소의 피부를 '가죽'이라 부른다. 익숙해서 입에 착착 달라붙는 이런 단어들은 모두 우리가 실제로 먹고 입는 진짜 존재가 누구인지 알아차리거나 생각하는 데 관심을 덜 기울이도록 눈을 가린다. 방목이라는 말은 종종 사기극에 불과할 뿐만 아니라, 그러한 초원에서 벌어지는 무섭도록 잔혹한 신체 절단을 아무렇지도 않게 바라보는 다정한 얼굴이기도 하다.

ACTION

어떻게 행동하면 좋을까

언어는 어떤 식으로 유축농업에 유리하게 사용되는가

우리가 소의 살을 '쇠고기'라고 부르고 소의 피부를 '가죽'이라 부르는 것과 마찬가지로, 동물에 대한 착취를 우리가 좀 더 편안하게 여기며 동물 제품의 인기를 계속 유지하도록 언어를 교묘하게 사용하는 방식은 아주 다양하다. 몇 가지만 예를 들어보자.

수익성을 위한 용어	현실
베이컨, 돼지고기, 햄	돼지의 살.
쇠고기	소의 살.
송아지 고기	송아지의 살.
양고기	어른 양의 살.
글리세린	동물성 지방, 대개 도축된 소와 양에서 추출함.(화장품과 의약품에 사용)
슬링크 가죽	갓 태어난 송아지나, 산달이 다가온 어미를 도축했을 때 뱃속에서 꺼낸 송아지에게서 벗겨낸 가죽.
라놀린	양의 피지선에서 분비되는 기름.(화장품과 의약품에 사용)
K-가죽	캥거루가죽, 종종 축구화에 사용됨.
젤라틴	삶아낸 동물의 가죽, 힘줄, 연골 및 뼈. 대부분 돼지와 소에게서 추출.
구아닌	분쇄된 생선 비늘.(반짝거림을 위해 화장품에 사용)
우유	유럽연합의 로비스트들이 유제품 우유가 아닌 두유, 귀리 우유, 코코넛 우유를 판매하는 회사에서는 사용을 금지하려 애쓰는 용어.
버거	미국과 유럽연합의 로비스트들이 각종 식물성 버거를 판매하는 회사에서는 사용을 금지하려 애쓰는 용어.
소시지	고기가 들어 있지 않은 소시지는 '단백질 튜브' 등으로 부르는 것이 중요하다며 정부 차원에서 논의되고 있는 또 하나의 단어.
가죽	'가죽'이라는 낱말도 과거에 만들어낸 용어인데, 독일가죽연합The German Leather Federation은 '비건가죽'이나 '사과가죽'이라는 용어를 금지하려다 분열을 보이고 있음.

잘못된 상식

낙농업은 도축 산업이 아니며 젖소는 착유를 해야 한다

명백한 사실임에도 종종 잊히는 진실이 있다. 젖소는 우유를 생산하려면 인간이나 세상의 모든 포유동물과 마찬가지로 임신을 해야 한다. 우유의 존재 목적은 갓 태어난 새끼가 딱딱한 먹이를 먹을 수 있는 시점까지 빠르게 성장시키는 데 있다. 인간도 신생아에게 모유가 더는 필요하지 않으면 모유 수유를 중단한다. 일단 모유 수유를 중단하면 가슴에서 모유가 생산되는 것도 중단된다. 송아지와 젖소도 마찬가지다.

산업화된 낙농업에서 사육되는 대부분의 젖소는 강제로 임신을 시킨다. 언젠가 경제적 가치가 없어지면 도축될 운명인 황소는 직장에 강제로 탐침을 삽입하여 무의식적으로 사정할 때까지 자극을 주는데, 이 과정을 '전기 사정'이라고 부르며, 여기에서 나오는 정액은 인공수정을 통해 젖소의 자궁에 강제로 주입된다. 이때 농부는 손을 직장으로 밀어 넣어 젖소의 질과 자궁 경부까지 침투한다.

송아지가 태어날 때, 드물게 유전적 선택이 개입된 경우가 아니라면 갓 태어난 새끼 중 50퍼센트는 수컷이다. 영국왕립동물학대방지협회RSPCA에 따르면, 신생 송아지의 도살은 보통 생후 5일 이내에 이루어진다. 송아지는 합법적으로 도축장으로 보내져 총을 쏘아 죽이거나, 생후 24시간 미만인 경우에는 심지어 망치로 두개골을 때려 죽이기도 한다.

암컷 송아지는 잠시 어미와 함께 지내다 분리된다. 《와이어드WIRED》에 발표된 연구에 따르면, 어미와 분리된 후 송아지는 당연히 스트레스를 받고 우울해졌으며, 어미 소도 새끼를 빼앗아 데려가는 트럭이나 차량을 뒤쫓아가는 모습을 보였다. 이런 송아지가 분유를 먹는 동안, 어미 젖소의 젖꼭지에는 착유 기계가 연결되어 인간이 소비할 우유를 하루에 두세 번 짠다.

이렇게 몇 년이 지나 어미 소가 일곱 살 무렵이 되면 육체적인 한계에 부딪혀 더는 수익성 있는 양의 우유를 생산할 수 없게 되고, 그러면 곧장 도살된다. 업계 보고서에 따르면, 젖소가 임신한 상태에서 도살되는 일도 드물지 않다.

달걀은 윤리적으로 공급 가능하다

오늘날 우리가 알고 있는 암탉은 조상인 적색야계Red Jungle Fowl와는 다른 형질을 갖도록 여러 세대에 걸쳐 선택적으로 사육되었다. 이 조상새의 종은 1년에 10개에서 15개 사이의 알을 낳는데, 이는 나의 연간 생리 주기와도 그다지 다르지 않으며, 조류나 인간 모두 매달 하나의 난자가 생성되므로 이치에도 맞다. 그러나 미국농무부USDA에 따르면, 오늘날 '산란계'는 연중 거의 매일 배란을 하며, 일 년에 약 300개의 알을 낳는다. 분명 이것은 부자연스러운 일이며, 이러한 주기가 산란계에게 미치는 영향은 엄청나다. 산란 업계에서 착취당하다가 구조된 암탉은 종종 몸 안에서 껍질이 없는 달걀이나, 낳지 못해 오래된 달걀의 난막, 난관의 낭종을 제거하는 수술을 받는다. 암탉은 알을 낳자마자 빼앗긴 채 새로운 알을 낳아야 하고, 낳은 알을 품을 기회도 박탈당한다. 많은 암탉은 특히 자기가 낳은 알이 깨진 경우 잃어버린 영양분을 충당하는 데 도움이 되도록 달걀을 먹기도 한다.

이 모든 상황은 18개월 때 암탉의 '개체 수를 조절'하는 결과로 이어진다. 그 시점이 되면 철제 닭장에 갇혀 살았든, 창문 없는 대형 창고에서 살았든, 가끔 야외로 나갈 수 있었든 여부와 상관없이, 닭의 몸은 지칠 대로 지친다. 이런 닭들은 때때로 도살장으로 보내지지만, 업계에서 가장 '인도적'이라고 주장하는 방식대로 가스를 주입해 죽이는 경우가 흔하다. 그러나 느리게 진행되는 이 방식을 찍은 동영상을 보면 공포에 질린 닭들이 숨을 쉬려고 몸부림치다가 의식을 잃고 죽어간다.

암컷 닭의 삶이 끔찍하게 들린다면, 수컷 닭의 삶도 그다지 녹록하지 않다. 낙농업계와 마찬가지로 절반의 확률로 태어나는 양계업계의 수컷 병아리는 태어나자마자 분쇄된다. 그 말은 곧 산 채로 갈려나간다는 뜻이다. 호주에서는 매년 1,200만 마리의 수컷 병아리가 산 채로 갈려 죽는다. 영국에서는 3,000만 마리, 미국에서는 그 수가 수억 마리에 이른다. 일부 국가에서는 수컷이 아예 태어나지 않도록 하는 기술을 개발하기도 하지만, 달걀 상자에 '방목'이라고 적혀 있든 말든, 이런 병아리를 번식하는 암탉과 수탉, 달걀을 낳는 산란계는 모두 계속해서 죽임을 당한다.

이런 것들 중 필수적인 것은 없는데, 어떻게 이런 행위가 윤리적일 수 있을까?

ACTION

어떻게 행동하면 좋을까

신중하게 쇼핑하기

- 동물 실험을 하지 않았음이 인증된 비건 화장품을 구매하라. '크루얼티 프리Cruelty Free' 사이트에는 이런 상품의 목록이 다양하게 마련되어 있으며, '크루얼티 프리' 인증을 받은 화장품은 동물 실험을 하지 않았을 뿐만 아니라 동물성 성분(가령 동물성 지방이나 분쇄된 곤충, 양의 땀샘에서 분비된 양털 기름 등)도 들어 있지 않다는 사실을 주지하는 것이 중요하다. 마찬가지로 '비건'이라고 표시된 제품도 동물 실험을 거쳤을 수 있다. 약국에서 파는 제품부터 고급 브랜드에 이르기까지 비건이면서 동물 실험을 거치지 않은 상품은 매우 다양하다.

- 모피를 거부하듯이 가죽, 양모, 캐시미어, 오리털, 실크 등 기타 동물성 소재는 피하라. 그들은 모두 동물을 죽여 만드는 상품이다.

- 가능하다면 동물성 소재를 대체할 수 있는 좀 더 지속 가능한 제품을 구매하라. 동물성 소재는 그 무엇보다도 환경에 미치는 영향력이 가장 큰 반면, 대체 소재 중에서도 다른 것들보다 더 나은 종류가 있다. 예를 들어, 울 니트 대신 합성섬유를 선택하기보다는 유기농이나 재활용 면, 텐셀, 대마 소재로 바꿔보라. 환경을 돕는 일은 우리가 이 지구를 함께 공유하는 야생 동물을 돕는 일이기도 하다.

- 중고품을 구입하라. 구제품을 사는 것은 늘 새 제품을 구매하는 것보다 저렴하고 지속가능하며, 윤리적인 패션을 실천할 수 있는 방법이다. 종종 우리는 새로운 비건 제품을 사는 것보다 울이나 가죽 제품을 중고로 구입하는 것이 더 낫다는 주장을 듣는데, 중고나 빈티지 비건 니트와 가죽을 사겠다는 당신의 손길을 누가 막겠는가?

• 가지고 있는 옷을 수선하고 관리해서 입으라. 이런 방법은 동물에게 더이상 해를 끼치지 않으면서 가장 지속가능한 소비생활임을 당신도 알 것이다.

ACTION

어떻게 행동하면 좋을까

먹을거리와 패션의 출처를 신경 써서 구매하기

유축농업의 문제점에 대해서 책으로 읽기보다는 차라리 직접 눈으로 실상을 보고 싶다면 인간이 동물을 대하는 방식의 현주소를 폭로하는 탐사 보도와 다큐멘터리가 많다.

이런 캠페인이 특정 국가에 국한된 것은 사실이지만, 동물 사육과 도축을 둘러싼 법규 문제는 전 세계 어디서나 크게 다르지 않으며, '높은 수준의 동물 복지' 법규를 갖추었다고 알려진 국가에서도 이러한 사건은 무수히 발생한다.

제목	주제
도미니언 : 다큐멘터리 Dominion: The Documentary	호주와 전 세계의 공장식 농장과 도축장 실태.
슬레이Slay	패션 업계의 동물 활용에 대한 다큐멘터리.
지구에서 살아가는 것들Earthlings	공장식 농장과 도축장, 동물실험장에 관한 미국 작품.
희망과 영광의 땅Land of Hope and Glory	공장식 농장과 도축장에 관한 영국 작품.
낙농업은 무섭다 – 동물해방 Dairy is Sacry – Animal Liberation	낙농업계에서 송아지를 다루는 방식.
악인의 진실 – 동물 해방 승리 Goat's Truth – Animal Liberation Victoria	낙농업계에서 아이들을 다루는 방식.
달걀 노출 – 농장 투명성 프로젝트 Eggs Exposed – Farm Transparency Project	산란업계에서 수컷 병아리를 다루는 방식. 이 단체는 훌륭한 탐사 보도물을 많이 갖고 있다.
산란계 개체수 조절 – 동물 해방 Layer Hen Depopulation – Animal Liberation	약 18개월령에 모두 도태되는 산란계의 실체.
이것이 바로 '인도적인' 방목 사육 육류에 관한 진실이다 – 센티언트 This is the Truth About 'Humane' Free-Range Meat – Sentient	호주 방목 소 농장에서 촬영한 영상.
양모에 대한 당신의 생각을 바꿔줄 비디오 – PETA Videos That Will Change The Way You Think About Wool – PETA	116개 이상의 양모 작업장과 농장에서 촬영한 영상.

제목	주제
캐시미어에는 고급스러움이 전혀 없다 – PETA There's Nothing Luxurious About Cashmere – PETA	캐시미어 농장과 도축장에서 촬영한 영상. PETA에서는 양모와 알파카, 오리털, 이국적인 가죽 등에 관한 탐사물도 갖고 있다.
모피 무역 – 휴먼 소사이어트 인터내셔널 The Fur Trade – Human Society International	모피 농장에 관한 영상.
드롭 크록 – 카인드니스 프로젝트 Drop Croc – Kindness Project	고급 패션 브랜드가 소유한 악어 농장에 관한 영상.
윌로 & 클로드, 주제 Willow & Claude, Subject	양모 생산과 니트 의류의 문제, 그리고 그것을 벗어나는 길.

이 영상들은 모두 생생하고 충격적이므로 주의를 요한다. 눈으로 보기에도 끔찍하다면, 우리가 구매하는 먹거리와 패션을 통해 그들에게 자금을 대주는 것이 과연 좋을까?

EXPLAINER

친절한 설명

양모 산업

양모 산업은 모든 것이 윤리적이며 건전하고 순수하다는 오해에 가장 많이 가려진 산업일 것이다. 또한 내가 분노하며 생각에 잠기는 시간을 가장 많이 보내는 산업이기도 하다.

나는 갓 태어난 양을 몇 마리 구조한 뒤, 젖병에 담긴 우유를 먹이고, 체온을 살피고, 껴안아주며 수많은 밤을 보냈다. 무척 피곤한 일이었어도 아이들은 대단히 귀여웠지만, 양이 아니라 내가 그들의 실질적인 어미가 아니란 사실은 너무나도 명백했다. 바로 그것이 문제였다. 갓 태어난 새끼는 부모와 함께 있어야 한다는 점.

그럼에도 구조대원이 결국 그토록 많은 새끼 양을 구조하게 되는 이유는 대다수의 양모 제품, 특히 고급 양모가 생산되는 호주에서 매년 새끼 양이 태어나는 계절인 겨울에 무려 1,000만~1,500만 마리에 달하는 새끼 양이 생후 48시간 이내에 죽기 때문이다. 그들은 굶주림과 방치, 추위에 노출되어 죽는다.

양이 죽는 이유는 다른 수많은 동물과 마찬가지로 봄에 태어나야 했기 때문이다. 겨울에 태어난 양이 죽으면 나중에 풀이 자라는 봄철에 양을 살찌워 도축하려는 농부에게 사료 비용이 절감됨을 의미하기 때문이다. 또한 새끼 양이 죽는 이유는 어미 양이 선택적으로 번식되어 쌍둥이나 심지어는 세쌍둥이를 낳기 때문이다. 양이 쌍둥이를 낳는 일은 인간에게도 흔한 만큼 양에게도 자연적으로 흔한 일이다. 하지만 어미 양이 신체적으로 쌍둥이 임신에 제대로 대처하지 못하면 자궁탈출증으로 죽을 수도 있다. 때때로 어미 양은 한 마리만 좀 더 성공적으로 보살피려는 마음에 가장 튼튼하다고 생각하는 한 마리를 선택하고 둘이나 셋 중에서 약한 새끼를 버리기도 한다.

살아남은 양은 꼬리를 잘라내고, 수컷이면 고환도 제거한다. 때로는 양의 꼬리 주변을 도려내는 뮬싱Mulesing(엉덩이

살갗을 칼로 도려내는 것)이 합법적으로 자행되기도 한다. 이 관행은 논란의 여지가 많아, 이를 금지하자는 논의가 수십 년 동안 이어져왔으나, 양모업계의 일부 구성원은 뮬싱을 할 때 통증 완화 조치가 요구되면 양의 꼬리를 자르거나 다른 절단 행위를 할 때에도 진통제 투여가 요구된다는 의미일까 봐 우려를 표한다. (세상에 정말 끔찍한 일이다!)

어떤 양은 새끼일 때 도축되는데, 그럴 때도 죽이기 전에 털을 깎는다. 다른 양은 털을 깎지 않은 채로 도살되어, 양털 가죽째로 판매되고 부츠와 슬리퍼, 재킷으로 만들어진다. 최고 품질의 양털을 가진 양은 종종 '양모 재배'를 위해 지속적으로 사육되며 적어도 1년에 한 번은 양털을 깎는데, 인간이 양털로 따뜻하게 지낼 수 있도록 때로는 겨울 추위 속에서 양털을 빼앗긴다. 양털 깎기는 종종 매우 폭력적으로 이루어지며, 116곳이 넘는 양모 작업장에서 극심한 폭력이 자행되었음이 문서로 밝혀졌다.

양은 자연 수명의 절반 정도인 5~6년이 지나면 양모 생산량이 줄어드는데, 이런 양도 도살된다. 그렇다, 양모 산업은 도축 산업이며, 그 유명한 메리노 양조차 양고기와 양모를 모두 얻는 데 이용되는 '이중 목적'에 부합한다고 묘사된다.

포근함을 유지하면서 구출된 새끼 양에게도 인정받을 만한 더 좋은 소재는 얼마든지 많다. 스웨터나 머플러를 사러 갈 때도 우리는 이들을 각각의 생명체로 생각해야 한다.

ACTION

어떻게 행동하면 좋을까

자신의 가치관 지키기

이 장에는 당신이 인식해야 할 정보도 많지만, 이 지구상에 살아가는 다른 종을 우리 인간이 얼마나 끔찍하게 대하는지 알아보는 과정은 엄청난 충격과 함께 트라우마가 될 수도 있다는 점을 받아들여야 한다. 많은 사람이 스스로를 동물 애호가라고 생각하지만, 우리가 매일 먹는 끼니와 옷차림 같은 것이 바로 그런 섬세한 동물들에게 엄청난 위해를 가할 수도 있음을 인식하는 것은 압도적인 경험이다.

이러한 모든 지식과 그 지식에서 비롯된 감정을 이용하여 우리가 해야 할 일이 있다면 그것은 앞으로 과연 어떻게 하고 싶은지 결정하는 일이다. 나의 가치관은 무엇인가? 이런 자료와 음식과 이 산업은 나의 가치관에 맞아떨어지는가?

당신의 생각은 다른 사람의 생각과 다를 수 있지만, 가끔은 약간 더 편리한 것을 넘어서서 자신만의 윤리 기준을 선정하는 것이 중요하다.

다르게 행동하고 싶은 것의 목록을 적어보고, 무엇이 옳은지 자신의 감각에 맞게 행동을 일치시킬 방법을 찾아보라.

우리 주변에서 벌어지는 불의를
똑바로 마주한다는 것은 불편한 선택이며,
좀 더 '윤리적인' 삶의 방식으로
접어드는 일은 어려울 수 있다.
그러나 우리가 자신에게 저지를 수 있는
가장 마음 불편한 일은
무엇이 '옳고 정의롭고 공평한지'
알아차리는 감각과 행동이 일치하지 않다는 걸
알면서도 그대로 버티는 것이다.

• 6장

동물의 문제가 곧 우리의 문제다

인간은 동물이다

비건 채식이 우리를 어떻게 구할 수 있을지 생각해볼 때는, 종차별주의가 인간이 다른 동물보다 우월하다는 개념을 바탕으로 생겨난 일종의 차별이며, 우리 자신은 동물이 아니라는 오류를 근거로 삼았을 수도 있음을 고려할 가치가 있다. 우리는 다른 동물들과 너무 다르게 살고 있기 때문에 잊기 쉽지만, 인간은 동물이다. 지상의 아파트에서 사는 인간과, 평생을 심해에서 살아가는 물고기, 대부분의 시간을 날아다니는 새, 땅속에서 살아가기를 즐기는 두더지는 모두 다른 방식으로 살지만, 모두가 동등한 동물이다. 다만 우리 인간이 살아가는 방식을 좀 더 '진화한' 것으로 여기기로 결정했기 때문에 오늘날 인간은 우리 자신을 부분적으로만 동물이라 생각하며 대부분은 무언가 더 위대한 다른 존재로 여긴다.

그렇다면 진화에 대해 살펴보자. 척추를 지닌 어류가 지구상에서 돌아다니기 시작한 5억 3,000만 년 전으로 거슬러 올라가보자. 그때는 참 멋진 순간이었다.

그로부터 3,000만 년 뒤, 육지로 올라온 최초의 동물은 오늘날의 곤충과 갑각류가 뒤섞인 듯한 모습이었다. 약 4억 4,000만 년 전, 척추동물인 어류 일부가 갈라져 나와 새로운 어류로 진화했고, 3억 9,700만 년 전에 이르자 최초의 네발 동물이 육지로 올라와 모든 양서류, 조류, 파충류, 포유류를 위한 길을 열었다. 이 동물은 아마도 틱타알릭Tiktaalik의 후손일 것이다.

이후 수백만 년에 걸쳐 영장류가 출현해 오늘날 우리가 알고 있는 오랑우탄, 긴팔원숭이, 고릴라 등 각기 다른 모든 종으로 진화했다. 약 600만 년 전 비교적 짧은 기간 동안 침팬지와 보노보는 많은 변화를 거쳐 오늘날 우리가 선사시대의 '인간'이라 여기는 존재로 진화했다.

우리는 이를 진화의 '정점'이라고 생각한다. 인류가 생겨난 뒤 우리와 가장 가까운 친척인 동물들이 칭송받는 이유는 우리 생각에 그들이 인간의 영광에 가까워졌기 때문이다. 하지만 우리가 '가장 최근에 진화한' 것을 '가장 위대하다'는 의미로 결론지은 것은 언제일까?

사나운 늑대가 유전자 조작으로 얼굴이 너무 짧아져서 제대로 숨을 쉬기도 힘든 작은 개로 진화한 것은 훨씬 더 최근의 일이었다. 독수리는 비둘기보다 더 오래 살아왔고, 백상아리 역시 연어보다는 더 오래 살았다. 악어는 우리가 귀엽다고 생각하는 고양이보다 훨씬 더 오래 지구상에 존재한 동물이다.

이 거대하고 강한 종들은 덜 진화한 것일까? 그렇다, 그들은 세월의 흐름 속에서도 덜 변화한 모습으로 다른 종들보다 더 오래 살아남았다.

'덜 진화했다'는 말은 '더 열등하다'는 말과 같은 의미일까? 그들은 흥미와 중요도와 가치와 지각 측면에서 '덜떨어지는' 동물일까? 그렇지 않다. 우리는 육지에 올라온 시기도 다르고, 혈통도 다르고, 특징도 다르고, 능력과 삶의 방식이 다른, 그저 모두 다른 동물일 뿐이다.

이 지구에 진정한 평화가 찾아오기를 바란다면, 우리 모두 환경을 공유하며 살아가는 동물이라는 사실을 기억해야 한다. 우리는 지구를 보살피고 서로 돌봐주어야 할 의무가 있다.

인종차별과 성차별,
능력주의, 다양한 성소수자에 대한 차별이
여전히 존재하는 곳에서
인간이 아닌 동물에 대한 착취가 없는
세상을 꿈꾼다는 것은
동물이 왜 착취당하는지
그 뿌리를 무시하는 생각이다.

– 로렌 T. 오넬라스lauren T. Ornelas

억압에 기반한 인간의 정체성

흑인 작가이자 해방 운동가인 크리스토퍼 서배스천Christopher Sebastian과 인간에 대한 억압이 어떻게 다른 동물에 대한 억압과 연결되는지 이야기를 나눈 적이 있다. "누구나 '인간'을 생물학적인 분류로 이해하지만, 사실상 정치적인 정체성으로 '인간'을 부각한 건 아마도 백인 우월주의일 것"이라고 그는 말한다. 백인 우월주의는 피부색을 근거로 일부 인간에게 권리를 누릴 자격이 더 있다고 여기지만, '동물성'에 대한 인식 또는 '인간성' 결여에 더욱 깊은 뿌리가 있다. 역사적으로, 그리고 충격적이게도 오늘날까지 흑인은 인간이 진화를 통해 갈라져 나온 인간 이외의 동물 종과 인간 사이에서 일종의 누락된 연결고리로 여전히 여겨진다고 서배스천은 지적한다. 억압의 뿌리는 종종 개인을 비인간화하는 데서 비롯되며, 동물화하는 것을 우리가 두려워하는 것도 이 때문이다. 어느 면에서 우리는 자연에 더 가까이 가는 것을 두려워한다.

동물적인 존재는 나쁜 것으로 간주된다. 끔찍하고 잔인한 범죄를 저지른 사람을 우리는 흔히 '짐승'이라고 부른다. 이는 인간들 사이에 구축된 계층 구조가 마치 누가 가장 '인간적인가'를 보여주는 순위표 같기 때문이다. 인종이나 장애, 심지어는 젠더 표현 때문에 '인간 이하'로 취급받는 이들은 열등한 존재로 멸시를 당한다. 이러한 계층 구조에서 '가장 인간적인' 것은 '가장 진화한' 것이며, 백인 우월주의와 종족주의가 판을 치는 가부장적인 세상에서 그런 평가를 받는 존재는 아마도 백인 남성일 것이다.

그렇게 되면 '인간'이라는 정치적 정체성은 시스젠더 Cisgender[14] 백인 남성을 다른 모든 사람보다 우위에 두고서, 가치를 평가하는 상상의 상자 밖으로 사람들을 몰아내기 위해 존재하게 된다. 누군가는 인간인 반면에, 흑인, 유색인, 여성, 퀴어, 트랜스젠더, 장애인, 또는 그 밖의 존재들은 '정상'이 아니고 표준적인 '인간'이 아니기 때문에 인간에 미치지 못하는 존재다. 그들은 동물이라는 존재에 더 가깝다.

구치소나 교도소에서 발발하는 인권 문제를 언급하는 언론의 헤드라인을 보면 종종 동물이 언급되면서, 그런 인간들이 '짐승 같은 취급을 받았다'고 표현하며 역겹고 비윤리적인 짓이라는 비난이 이어진다. 물론 여기서 언론이 전달하려는 생각은, 당연히 재소자도 인간이기 때문에 그런 곳의 인간도 더 나은 대우를 받아야 한다는 점이다. 그러한 헤드라인의 의도는 좋다. 모든 인간은 공정함과 정의를 누릴 자격이 있다는 의미이므로. 그러나 이런 헤드라인은 동물에게는 그런 대우가 용납되며, 인간은 지구상의 다른 모든 동

14. 타고난 생물학적 성과 자신이 느끼는 전체 정체성이 일치하는 사람.

물과 분리되어 더 큰 안전과 자유를 누릴 자격이 있는 더 나은 존재라는 생각을 영속화한다.

이런 생각 때문에 우리가 동물이라는 현실을 받아들이는 것이 어렵게 느껴지는 것이다. 특히 흑인, 원주민, 유색인종은 그들을 향한 폭력을 정당화할 목적으로 계속해서 동물 취급을 받는다. 하지만 우리 스스로를 '인간으로 만들어서' 인간성을 입증하고자 하는 염려는 곧장 '비인간화에 대한 인식'과 그에 수반되는 위험으로 이어진다. 서배스천은 우리 인간이 자신의 동물성을 편안하게 받아들여야 한다고 지적하는데, 그렇게 하면 비인간화는 단순히 억압의 도구가 되지 못한다. 물론 그렇게 되면 '동물'이라는 이름표를 붙인 누군가에게 가하는 폭력이 정당화되는 경우, 인간이자 동물인 우리의 정체성 안에서 우리는 결코 편안해질 수 없을 것이다. 종차별주의가 해체되고, 비인간화와 그로 인한 불의가 해체되는 그날까지는 말이다.

우리는 동물에 대해서
더 현명하고 더 신비로운
또 하나의 개념이 필요하다.

보편적인 자연에서 멀리 떨어져
복잡한 계략에 의지해 살아가는
문명 속의 인간은 자신의 지식이라는
유리창을 통해서 생명체를 관찰하기 때문에
깃털은 확대되고 전체적인 이미지는 왜곡된다.
우리는 그들이 우리보다 훨씬 열등한 형태를
갖추었다는 비극적인 운명을 비웃으며,
그들의 불완전성을 오만하게 바라본다.
바로 이 부분에서 우리 인간은 오류를,
엄청난 오류를 범한다.
동물은 인간을 잣대로 평가되어서는
안 되기 때문이다.
그들은 형제가 아니며, 하등한 존재도 아니다.
그들은 다른 종족이자,
지구의 광휘와 진통 속에서
삶과 시간이 얽힌 그물에 우리와 함께 걸려든
동료 죄수들이다.

— 헨리 베스턴Henry Beston

ACTION

어떻게 행동하면 좋을까

서로 얽혀 있는 억압과 해방을 향한 연대 문제에 대해 더 읽어보기

모든 이를 대신해 해방을 향한 연대 행동의 중요성에 관해 목소리를 높인 사람은 많다. 억압이 아주 복잡하게 꼬이고 날카로워 해결하기 어려운 문제일 때, 그것을 무너뜨리려면 온갖 다양한 부류의 사람들이 낸 목소리와 아이디어가 필요하다.

이런 문제에 대해 당신도 종차별주의를 반대하는 견해를 찾고 싶다면, 참고할 만한 것이 있다. 위대한 인물들과 그들이 쓴 책과 자료를 다음과 같이 소개한다.

• 크리스토퍼 서배스천

웹사이트에서 훌륭한 글과 강연을 볼 수 있음.

• 아이 바코Iye Bako

소셜미디어 계정 @iyeloveslife에서 훌륭한 자료 입수 가능.

• 《부담감이라는 짐승 : 동물과 장애 해방Beasts of Burden: Animal and Disability Liberation》, 수노라 테일러Sunaura Tayor 지음.

• 《두려운 비교 : 인간과 동물 노예The Dreaded Comparison: Human and Animal Slavery》, 마조리 슈피겔Majorie Spiegel 지음.

• 이베트 베이커Yvette Baker

인스타그램 계정 @vegan_abolitioniste에서 중요한 자료와 생각을 공유함.

• 《자유를 위한 다섯 가지 에세이Five Essays For Freedom》, 크리스티 앨저Kristy Alger 지음.

• 아프로 비건 협회The Afro Vegan Society

앱 코Aph Ko와 실 코Syl Ko의 저서들.

• A. 브리즈 하퍼 박사의 저서들 중 특히 《자매 종Sister

Species》과 《시스타 비건Sistah Vegan》, 공저 《음식 정의 고양하기Cultivating Food Justice》 중 하퍼 박사가 쓴 챕터 참조.

- 팟캐스트, 저 너머의 종The Beyond Species

우리는 때때로

폭력에 반대하거나

불의에 맞설 수 없다.

억압은 틀이어서

온갖 형태로 자리 잡은

그 안에서 억압을 인식하려면

고군분투해야 한다.

그래야만 행동으로

억압을 제대로 해체시킬 수 있다.

EXPLAINER

친절한 설명

억압에 대한 지속적인 반대와 환경 정의

그렇다면 우리의 가치관에 일관성이 있다는 것은 무엇을 의미할까? 우리가 실제로 억압에 반대한다고 가정할 때(반대하지 않는다면…… 무슨 일이 벌어질까?), 우리의 가치관에 일관성이 있다는 것은 부당하고 계급적인 이 사회의 시스템의 특정한 증상만을 눈여겨보는 것이 아니라 시선이 가는 곳이라면 어디든 억압을 인식하고 의문을 제기하는 것을 의미한다. 이는 환경주의, 인종차별주의, 성차별주의, 종차별주의 같은 개별적인 '주의'를 넘어서서, 억압이 우리에게, 그리고 우리가 공유하는 바로 이 지구에 어둠을 드리우는 방식 자체를 인식해야 함을 의미한다.

억압의 외적인 증상만이 아니라 억압 자체를 인식할 때 우리는 더 제대로 억압을 해체할 준비를 할 수 있다. 억압의 근본을 더 잘 이해하고, 그 뿌리를 송두리째 잘라버릴 수 있게 되는 것이다.

지속적으로 억압에 반대하면, 더 나은 세상을 위해 우리가 목소리를 높여온 방식에도 변화가 찾아온다. 성소수자를 위한 자선단체를 후원하는 티셔츠를 판매한다고 할 때, 그것이 지구를 병들게 만드는 소재로 현대의 노예나 다름없는 열악한 노동 환경에서 만들어진 것이라면 더는 의미가 없다. 산불로 큰 피해를 입은 야생 동물이나 난민을 위한 기금을 마련한다면서, 동물의 살을 구워 먹는 바비큐 파티를 연다는 것은 도무지 앞뒤가 맞지 않는다. 그런 파티에서 구워 먹는 소시지는 우리가 살고 있는 지구의 온난화를 앞당길 뿐만 아니라, 공장식 축사에 갇혀 지내던 동물로 만든 것이기 때문이다.

사람은 누구나 끊임없이 배우고 있으며, 억압에 대한 지속적인 반대는 완벽주의에 관한 것이 아니다. 하지만 차별이 어떻게 작동하는지 더욱 폭넓게 이해하고, 이전에는 그럴 가치가 없다고 여기던 대상에게까지 연민의 범위를 확장하자는 것이다.

이쯤에서 '환경 정의'라는 용어를 생각해보는 것은 좋은 예가 될 수 있다. 여기서 정의란 우리 모두가 자연의 일부이며 모두가 보호받을 자격이 있음을 인정하는 정의이기 때문이다. 환경 정의는 단순히 나무, 숲, 하천, 초원의 측면에서만 환경을 보호하자는 것이 아니라, 그 안에서 살아가는 이들까지 포함한다. 이러한 공간의 안팎에서, 그 주변에서 살고 있는 인간과 인간 이외의 동물들이 건강하고 행복한 삶을 누리는 데 꼭 필요한 것에 접근이 가능한가? 환경의 안녕함은 곧 우리의 안녕함이며, 그것을 지키는 건 우리 책임이다.

ACTION

어떻게 행동하면 좋을까

해방을 향한 연대를 행동으로 옮기기

누군가를 위한 우리의 행동이 다른 사람에게 해가 되지 않도록 하려면 어떻게 해야 할까? 환경 보호와 인간 이외의 존재들 보호, 인간 보호를 어떻게 함께 묶을 수 있을까? 어떻게 해야 우리가 추구하는 해방 운동이 배타적이지도 않으면서 다른 사람의 권리를 박탈하지 않는 방향으로 명확해질 수 있을까? 해방을 향한 연대라는 개념을 우리 행동의 핵심으로 삼는다면, 그 실천은 더 쉬워진다.

좀 더 사람들의 연대를 이끌어내면서 해방 운동을 실천에 옮기는 몇 가지 사례를 소개한다.

- 소외된 지역사회에서도 인간 이외의 동물을 보호하는 비동물성 식품에 대한 접근성과, 합당하고도 공정한 노동자의 권리, 환경친화적인 조건을 누릴 수 있도록 고려하여 식품 정의가 실현되고 지원되도록 돕기. 초콜릿을 고를 때도 공정무역 제품을 구입하고, 비건 식품을 선택하며, 도움이 필요한 사람을 위해 요리 지원 및 마을 텃밭 가꾸기 봉사, 냉장고와 식품 저장고 채워주기 등이 이에 해당한다.

- 정부 관계자나, 환경 파괴를 지지하고 비용을 후원하는 단체에 민원을 넣거나 편지 보내기. 여기에는 방목을 위해 토지를 개간하는 업체라든지, 환경오염의 주범인 공장식 축산농장, 광산 및 원주민 공동체와 야생 동물, 우리가 모두가 살고 있는 지구의 건강을 무너뜨릴 잠재 가능성이 있는 기타 모든 단체가 포함된다.

- 사회 정의 문제를 이야기할 때 우리가 사용하는 언어가 또 다른 집단에 상처가 되지 않도록 조심하기.

- 당신이 속해 있는 집단 구성원들에게 사회 문제와 환경 정의 문제에 대한 정보 공유하기. 그들은 이제껏 생각해보지 못한 문제일 수도 있고, 특히 이미 그런 문제가 서로 뒤얽혀 이미 그들이 우려하는 상황이 되었을 수도 있다.

- 어떤 목소리가 들리지 않는지, 어떻게 하면 그 목소리를 증폭시켜 잘 들리게 할 수 있는지 고민하기. 해방을 향한 연대는 영웅이 되는 것이 아니라, 서로 지지해주는 것이다. 당신이 나아가는 길이 모든 이에게 환영받도록 여유 공간 확보하기.

- 사람들의 연대 속에서 해방을 이끌어나가는 영역에 초점을 맞추고 열정을 쏟는 데에는 아무런 문제가 없지만, 중요한 것은 다른 모든 대의명분이 어떻게 엮여 있는지 파악하고 '해방을 위해 경쟁'하는 것이 아니라 서로 지지하는 관계를 유지하려면 어떻게 해야 할지 계속 염두에 두어야 한다는 사실이다.

보통은 비건 채식인이라는 말을
남들에게 하지 않지만
나의 생각도 진화했다.
비건 채식이란
혁명적인 견해의 일부이기 때문에
이제는 그것에 대한 이야기를
할 순간이 무르익었다고 생각한다.

— 앤절라 데이비스Angela Davis

함께라면, 우리는 스스로를 구할 수 있다

비건 채식이 어떻게 우리를 구할 수 있는지 묻는다는 것은, 우리가 어떻게 하면 우리를 구할 수 있는지를 묻는 것이다.

우리가 하는 논의는 식탁에 앉아 끼니를 먹고 옷을 차려입고 공동체 안에서 활동할 때, 우리가 각자 내릴 수 있는 선택과 행동에 관한 것이다. 지구를 구하는 단 하나의 방법이나 우리가 오늘날 직면한 수많은 문제를 해결할 단순한 방법은 없다. 그러나 비건 채식의 장점은 세상의 구조상 그 변화가 엄청나게 크지는 않더라도, 광범위한 영향력을 곳곳에 미칠 수 있다는 것이다.

다음번에 온라인에서 부츠를 구매할 때 혹시 가죽 제품을 구매하지 않는다면, 당신은 아마존 열대우림 보호에 작게나마 기여할 수 있을 테고, 따라서 아마존 원주민을 보호하려는 활동을 지원하는 데도 보탬이 될 것이다. 만약 쇠고기 버거나 치킨 슈니첼 대신 비건 볼로네제를 주문한다면, 우리가 숨 쉬는 대기를 변하게 만드는 온실가스 배출과 환경오염을 줄일 수 있다. 물론 이런 모든 선택은 동물들에게도 훨씬 이롭다.

비건 채식은 단순한 식단이나 생활 방식이 아니라, 당신이 바라보고자 하는 세상으로 변화를 이끄는 데 도움을 주는 방법이다. 비건 채식은 각각의 생명체와 지구에 부담과 고통을 덜어주는 방법이다.

당신이 비건 채식을 시작하고, 그런 옷을 입고, 비건 채식인으로 살아간다고 해서 그것만으로 우리를 구할 수는 없다. 한 번의 행동이나 한 사람의 노력만으로는 불가능한 일이다. 다행히도 지구상에는 당신과 나만 존재하는 것이 아니다. 대화를 통해서든, 직접적인 행동이나 개인적인 변화를 통해서든, 수십억 명의 사람이 함께 힘을 모은다면 변화를 만들어낼 수 있다.

우리 모두를 위해서 우리는 기꺼이 무엇을 바꿀지 결정해야 한다. 그리고 그 변화는 바로 지금 시작해야 한다.

감사의 말

우선 이 책을 읽고 계시는 당신에게 감사하다. 마음을 열고 연민의 영역을 확장하는 데 동참해주신 것도 감사하고, 앞으로 당신이 취하게 될 모든 행동에도 감사한 마음이다.

다음으로는 이 책을 쓸 수 있는 기회를 누리게 되어 진심으로 감격스럽다. 특히 좀 더 급진적인(그러나 가만 생각해보면 실제로 그다지 급진적이지 않은) '버전'의 비건 채식주의를 주류로 끌어들이는 것이 중요하다는 믿음에 공감해준 하디 그랜트Hardie Grant와 앨리스 하디 그랜트Alice Hardie Grant에게 감사를 전한다.

친절하고 부지런한 편집자 리비 터너Libby Turner에게도 감사하고, 원고를 다른 사람들에게 보여주기 전에 내가 쓴 모든 글을 읽고 애정 어린 엄준한 비판을 서슴지 않으시는 나의 비공식 편집자인 어머니에게도 감사하다.

이 책에서 인용하고 참고한 수많은 분의 작업과 의견이 없었다면 이 책은 탄생하지 못했을 것이다. 탐구해볼 만한 놀라운 책이 많으므로, 부디 QR코드를 통해서 이 책 내용에 포함된 수많은 참고문헌까지 살펴보시기 바란다. 특히 크리스토퍼 서배스천에게 감사의 말을 전하고 싶다. 줌으로 연결된 화상 공간에서 만난 한 시간 남짓한 시간 동안 그토록 중요한 문제에 관해서 어떻게 그토록 편안하면서도 설득력 있는 이야기를 펼칠 수가 있는지, 아마 그 자신은 몰랐겠지만 그의 의견은 세상을 바라보는 나의 시각을 바꾸는 데 큰 도움을 주었다.

또한 모든 동물 보호 운동가와 더 나은 세상에 대한 희망을 내게 선사해준 모든 동물 해방 연대 활동가에게 감사한다.

마지막으로, 나와 만나게 되기까지 믿을 수 없는 배신과 불의, 상처로 가득한 삶을 살아왔음에도 그들의 존재를 진정으로 알아갈 수 있는 기회를 누리는 영광을 내게 베풀어준 인간 이외의 동물들에게 진심으로 감사한다. 나는 동물 친구들에게서 더 나은 인간이 되는 방법에 대해 참 많은 것을 배웠다.

옮긴이의 말

얼마 전 큰 조카네 반려견이 열다섯 살의 나이로 세상을 떠났다. 대체로 동물을 싫어하고 무서워하던 내게도 끊임없이 애정을 갈구하던 녀석이라 소식을 듣고 내 마음도 헛헛했다. 계속 쓰다듬으라며 내 옆구리로, 무릎 위로 파고들던 작은 머리와 아삭아삭 맛있게 사과를 깨물어 먹던 소리가 새삼 눈과 귀에 선하다. 자주 만나지 않은 인간에게도 그렇게 무조건적인 복종과 애정을 쏟는 존재가 가능하다니 참 놀라웠다.

에드거 앨런 포의 《검은 고양이》 때문에 무작정 고양이를 공포의 대상으로 여기던 과거가 무색하게도 친구가 입양한 길고양이 사진을 찍어 간직하고, 길고양이 가족에게 1년 넘게 매일 사료를 주며 돌봐주는 것도 생각해보면 놀라운 변화다. 사람은 웬만해선 변하지 않는다고 하지만, 사실 사람은 변화의 가능성이 무궁무진하다. 내가 바로 그 본보기이므로. 하지만 변하고 싶은데도 아직 변하지 못한 분야가 있으니 그건 바로 먹을거리에 관한 것이다.

지구의 멸망을 염려하며 기후위기와 환경 문제, 쓰레기에도 관심이 많지만 부끄럽게도 여전히 육식을 포기하지는 못했음을 고백한다. 그렇다, 나는 이 책에서 수없이 비판하는 육식주의자다. 텀블러를 사용하고 에코백을 들거나 재활용품 분리수거를 열심히 하는 것보다, 지구 환경에 백 배쯤 이로운 소비생활이 바로 비건 채식임을 누누이 듣는데도 실천하기는 사실 쉽지 않다. 인간이 무수히 멸종시킨 동물들을 비롯해 지금도 '잡아먹히기' 위하여 참혹한 축산 환경에서 사육되는 수많은 가축에게 죄책감이 들면서도 수십 년 관성의 힘과 입맛은 거스르기가 어렵다.

그러나 확실한 건 이 책에 실린 것과 같은 정보를 접하며 적어도 육식을 줄여나가는 사람이 분명 많아졌다는 점이다. 음식점에 가보아도 비건 채식인을 위한 메뉴가 꽤 보이고, 아예 비건 채식인을 위한 메뉴로만 구성한 음식점도 찾아보기 어렵지 않다.

저속 노화, 감속 노화를 중시하는 사람도 동물성 단백질의 폐해를 토로한다. 동물성 단백질이, 특히 붉은 고기가 치매에 미치는 영향에 대해서도 많은 연구가 이루어지고 있다. 사실 알츠하이머와 치매 예방을 위한 채식 비법은 오래전부터 존재했으나 육식 관련 산업계의 집요한 로비로 그간 진실이 감추어졌다는 음모론도 들어보았다.

희망적인 것은 미래의 주역인 아이들의 변화다. 학교 현장에 나가보면 학생 회의를 거쳐 일주일에 하루는 지구를 위한 비건 채식 메뉴로 구성되고, 고기를 사랑하지만 하루 정도는 육식을 기꺼이 포기하겠다는 아이들이 대부분이다. 감칠맛과 식감이 담보된다면 대체육도 상관없단다. 지구와 환경을 위한 궁극의 종착점이 비건 채식이라면 분명 많은 이들은 그 방향으로 나아가고 있다. 적어도 《그래서 비건, 지구와 나를 위한 선택》을 번역하는 동안에는 일주일에 세 번은 채식을 하겠다는 나의 결심도 거의 지킬 수 있었기에 하는 말이다.

슬픈 일이지만 우리는 이웃 나라의 원전 사고로 핵 폐수가 계속 바다로 흘러드는 걸 방관해야 하는 형편이다. 그 때문에 얼마 전까지 천일염 품귀 현상을 겪었고, 생선 사재기도 유행이었다. 그 대열에 끼고 싶은 마음이 없었던 우리 집에도 누군가 선물로 보낸 천일염과 냉동 생선이 그득하다. 하지만 일본의 핵 폐수 방류 이전에도 수산물 역시 안전하지 않았다. 수은과 중금속 위험 때문에 임산부에게는 참치 섭취를 금하는데, 일반인이라고 과연 영향력이 없을까? 500년간 썩지 않는다는 플라스틱은 이미 지구의 바다를 미세플라스틱으로 오염시켜, 모든 생선에서 미세플라스틱이 발견된다. 먹이사슬의 최고 포식자인 인간이 동물성 식품으로 먹어대는 오염물질은 항생제를 포함해서 대체 얼마나 많을지 상상이 잘 되지 않는다.

너무 크고 무거운 문제를 맞닥뜨리면 가끔 우리는 눈과 귀를 닫아버린 채 외면한다. 에라 모르겠다, 자포자기하는 심정이 드는 것이다. 하지만 그런 수많은 외면은 현재와 같은 기후위기와 지구 온난화를 만든 주범이다. 지구는 미래 세대에게서 우리가 잠깐 빌려 쓰는 곳이므로 소중히 다루다 물려주어야 한다. 그러려면 일단 한 끼라도 비건 채식에 동참해야 하지 않을까.

애정으로 돌보는 반려견과 반려묘뿐만 아니라 세상의 모든 동물이 잡아먹힐 운명에서 벗어나 인간과 제대로 공존하는 방법을 깊이 고민해보아야 할 때다. 세상 모든 사람이 '그래서 비건'이 답이라는 결론에 도달하지는 못하더라도, 그래서 동물성 식품은 두루두루 좀 줄이자는 방향으로 이어지길 빈다.

변용란

참고문헌

모든 참고문헌은

아래 QR코드를 통해 저자의 웹사이트를

방문하여 확인할 수 있다.

그래서 비건
지구와 나를 위한 선택

1판 1쇄 발행일 2024년 6월 10일

지은이 엠마 하칸슨
옮긴이 변용란

편 집 이효선
디자인 새와나무
저작권중개 AMO에이전시
펴낸곳 독개비출판사
펴낸이 박선정, 이은정
출판등록 제 2021-000006호
주 소 경기도 고양시 덕양구 능곡로13번길 20, 402호
팩 스 0504-400-6875
이메일 dkbook2021@gmail.com

ISBN 979-11-973490-8-9 03840

* 파본이나 잘못된 책은 구입하신 곳에서 바꿔드립니다.